U0789682

集韻

九

集譜
九

五福五代堂古稀天子寶

八徵耄念之寶

太上皇帝之寶

集韻卷之九

翰林學士兼侍讀學士朝請大夫尚書左司郎中知制誥判秘閣兼判太常禮院群牧使上柱國濮陽郡開國侯食邑二千二百戶賜紫金魚袋臣丁度等奉

敕脩定

入聲上

屋第一 烏谷切獨用　沃第二 烏酷切與燭通
燭第三 朱欲切　覺第四 訖岳切獨用
質第五 職日切與術櫛通　術第六 食律切
櫛第七 側瑟切　勿第八 文拂切與迄通
迄第九 許訖切　月第十 魚厥切與没通
没第十一 莫勃切　曷第十二 何葛切與末通
末第十三 莫葛切　黠第十四 下八切與鎋通
鎋第十五 下瞎切　屑第十六 先結切與薛通
薛第十七 私列切

一○屋屋臺 烏谷切說文居也从尸尸所主也一曰屋形从至至所至止一曰具也楃从丁或作臺文十三 剭 誅也周制誅大臣適甸師謂之剭 渥 水聲 喔 雞聲 ⿰黑屋 墨刑 鄏 地名在南陽 ⿱屋月 膏脂也 腛 厚也周禮革欲其柔滑而腛脂之則需 ⿰禾屋 禾芒 媉 好也 握 小皃易若號一握鄭氏讀 ○嗀 呼木切歐聲文十一 嚛 說文食辛嚛也一曰歠聲 臛 羹也 焀 火皃 熇 說文火熱也引詩多將熇熇 ⿰⿱士赤殳⿰⿱士火殳 說文日出之赤或从火 ⿰⿱士犬殳 說文犬屬要以上黃要以下黑食母猴一曰𣪊似牂羊出蜀北嚻山中犬首而馬尾 ⿰⿱士豕殳 豕聲 ⿰⿱士麥殳 麥也 豰 豕名一曰狐子 ○哭 空谷切說文哀聲也文九 㲉鷇 卵已孚或作鷇 㱿 說文未燒瓦器 ⿰⿱士麥殳 說文餅麴也 ⿱後⿰麻殳 說文未練治纑也或作⿰⿱士麻殳徐鉉以為後非聲疑从復今按沃字韻有⿰⿱士麻殳蓋从沃 ⿰⿱士土殳 土墼也 㱿 皮也 ○穀糓 古祿切說文續也百穀之總名一曰善也祿也一曰水名或从米文二十三 ⿰夕角 博雅⿰夕角⿰女束步也俗作⿰多角非是

穀木名說文楮也 豋豰豆名一曰豆萁或作豰 轂𨏥說文輻所湊也古作𨏥 瑴雙玉 㱿足跗 䀘

𥈽目動也或从谷 谷說文泉出通川爲谷从水半見出於口一曰窮也又姓 唂𠴫雉鳴或从角 瀫水名在河內 鷇

𣫃布鷇鳥名或从隹通作穀 𪕬𪕬鼣鼠名 㹍獸名山海經北囂之山有獸狀如虎白身馬尾彘鬣名獨𤠣 𣪍器名受三斗 𥳕

麓也 𡱆持也 ○縠胡谷切說文細縛也文二十五 斛𣂃說文十斗也或作𣂃通作觳 觳說文盛觵卮一曰射具一曰盡也

𪘐齒聲 觳角聲 𤮊瓦器一曰坯也 㱿石聲 𥳕大箱也 𦼓石𦼓藥艸 𨡢濁酒 䅽菜名生水中

槲槲樕木名或書作槲 螜蟲名螻蛄也一曰蟦螬謂之蝗螜 㱿牲後足一曰足跗 𥲅吳俗謂篗爲𥲅 瀫㲉水聲或作

穀 擭捕獸機檻也書杜乃擭徐邈讀 㝅豕也豰豭也 䀘目動也 焀火皃 觳觳麓器名 㱿赤皃 𧝑𧝑𧝑衣聲

○卜卜博木切說文灼剝龜也象灸龜之形一曰象龜兆之從橫也古作卜亦姓文三十一 汁水名 菐煩也 濮說文水出東郡

濮陽南入鉅野又州名亦姓 僕𠌥彭濮蠻夷國名或作僕通作濮 轐僕說文車伏兔也引周禮加軫與轐焉或作僕 媄女字

昌意娶蜀山氏女曰昌媄 樸樸𣗥叢生皃 㯷說文棗也 獛山海經獛鉛南極之夷 蹼𨆷鳧鴈足閒相連著爲蹼或省 纀

襆幞說文裳削幅謂之纀或作襆幞 轐絡髮謂之轐一曰牛絡頭 鳪𩿧雉名黃色鳴自呼或从隹 鸔鳥鸔水鳥 撲撲桃

西域地名 鏷鏷鈷矢名 蟔蟔蝀小蟲 𩬅𩬅鬚皃 𩭤忽見也 𪕋博雅𪕋鼫鼠屬 醭酒上白 撲拭也

䑑牆版之大者 ○攴撲扑𣏾朴剝普木切說文小擊也或作撲扑𣏾朴剝文二十八 濼水名春秋

傳公會齊侯于濼 䶂𪕋䶂鼠屬 墣圤凷謂之墣或从卜 骲骨鏃也 仆偃也 𣊭物氣黍白 醭酒上白

黸𪑼色暗一曰淺黑色或从卜 鸔鳥名善占 譔以言蔽也 副判也 僕羣飛皃莊子蚕蚕僕緣 撲方言盡也

樸穙艸生穊或从僕 炇火烈也 𧴱美財也 樸堅木也一曰木生密也 䕖樸也 朴木皮 ○僕䑑步木

切給事者古从臣文二十三 𥏸侏儒也 菐煩也 夊夂夊夊行皃古作夌 㬥暴曓曝日乾也或作暴

磿曝 鸔鳥名說文烏鸔也 瀑縣水 𣯶鬏毴毛不理或作鬏 穙禾生穊也 樸樸木密也一曰樸棟小木或省

蟔蟔蝀小蟲 轐博雅車伏兔也 蚹蚹蠃蟲名蝸牛也 鰒海魚名 㬥頸聯也 匐匍匐也 ○木莫卜切說

文冒也冒地而生東方之行从屮下象其根又姓文十九 朷刀治柔也 沐說文濯髮也一曰水名在青州又姓 霂說文霢霂也謂小雨 毣

思皃一曰好也楘說文車歷錄束交也引詩五楘梁輈鞪鞪轚說文車軸束也或从車亦作轚艒小船謂之艒䑸鶩

鳥名說文舒皃也豋豆箕毣鳥澤羽蚞蟲名爾雅蜓蚞螇螰也務毒艸帑[illegible]布莯艸名婺美皃

𪀗鳥名○速蘇谷切說文疾也一曰召也古作𧫷籀作遬文三十三遬誎說文餔旋促也一曰飾也𩱧餗

𩟤餗說文鼎實惟葦及蒲陳留謂鍵為𩟤或从食亦作𩟣餗欶吮也殐殰殐歺也𣪗𣪗𣪚動物涑水名在河東

倲儱倲動也一曰短皃蔌爾雅菜謂之蔌𧝏𧝏𧝏新衣皃藗艸名說文牡茅也通作蔌梀赤梀木名可為車輞樕

說文樸樕小木趚趚趚走聲𣙗木名爾雅棪樕其通作樕棷棷常木名𪋻說文鹿迹也𧍮𧑄蟘蝀小蟲或从敕

數遬也鏉鏤也觫觳觫懼死皃瘯瘯瘯寒病𡾰山名山海經東山之首曰𡾰螽魆鬼名簌篩也颼颯颼颯

風聲𣌯燥也○蔟千木切說文行蠶蓐也文九簇小竹瘯瘯瘰皮膚病䃚碌䃚石地不平皃幧也趗

趗趗局小皃䇞立待也鏃鏑也梀短椽○鏃族鉃作木切說文利也一曰矢鏃來或省亦作鉃文十五𨂶𨂶𨂶

曲足皃𧎼𧎼𧎼蟲集皃嗾𠹍呼犬聲或从造瘯瘯瘰皮膚病𧑒蝦蟲頭上耳擉古言䉵擉也傶邑名

大一二十九
小六一九十

寬

亦姓丵䅇艸木叢生或从禾鉐姓也出彭城𨭇畚也○族𣄼𠨭昨木切說文矢鋒也束之族族也一曰从

㫃㫃所以標衆衆矢之所集一曰聚也古作𣄼𠨭文九鏊鏤也銼鏃銼鑹溫器或从族𩸤魚名𢸔斂也或書作揍戚

縣名在東海○豰都木切豰𣪘動物文十五豰㹍𢳚擊聲或从手𧜓衣至地涿流下滴一曰郡名豚

𡲢博雅臀也或作𡲢俗作启非是𣧬𡲡星名或从尾𧛓𧛓𧛓衣聲啄咮也斀字林去陰刑𨷦水名剢

刀鉏也○禿𤘢他谷切說文無髮也从人上象禾粟之形取其聲王育說倉頡出見禿人伏禾中因以制字未知其審亦姓籀作𤘢文八䛢

詑䛢狡猾也一曰相欺詑𤺌首瘍𢱧枚揩也鵚𪁁鵚鶖鳥名或从隹通作禿㑿獨倲不寧○牘徒谷切說文書版也

一曰樂器所以節行文五十七讀說文誦書也讟𤺝說文痛怨也引春秋傳民無怨讟古作𤺝黷說文握持垢也引易再三黷通作瀆

𧶠說文媟𧶠也徐鍇曰不以禮自近嬻說文媟也犢𤛓說文牛子也或从蜀㑿短陋謂之㑿倲殰䐈說文胎敗

也古作䐈通作殰殰卵內敗髑𩓥說文髑髏頂也或从頁鑟卯之匱覿見也匵說文匱也通作櫝櫝

木名一曰小棺襡襩韜也或作襩韇皾說文弓矢韇也今謂之胡簏或从皮韣韥弓衣或作韥罜𦌾

曰小篋一曰本名一 櫝 韇 韣 作韇櫝也 韥 說文弓矢韥也

通作櫝古作𧷗也 殰 歿胎內 𩑺 說文𩑺頭 讀

遺 曰本以蘺 說文媟遺也 一曰猶 嬻 說文媟嬻也 𧸘

讀 竹人 一曰樂器 說文王十七以 讟 說文痛怨也 瀆 溝也

集韻 入聲 卷九 三

罜麗小罟或作罝 瀆竇 說文溝也一日江河淮濟爲四瀆或作竇 隫𧷸 說文通溝也古作𧷸 瓄 玉器一日圭名 獨 說文犬相得而鬬也羊爲群犬爲獨一日老而無子日獨 𪍰 𪍰麰煑餅 纛 羽幢俗作纛非是 𧄍 𧄍落藥艸 騳𩧯 𩧯騳野馬一日馬行兒

鸀 鸀鳿鳥名 涿 涿鹿地名 噣 畢星別名 頊 說文顓頊也 𦏓 羊六尺謂之𦏓 儥 見也動也 碡𥕁𥗩 碌碡田器或从蜀亦作𥗩 𧷞 刀劒室 𤝞𤝞狎 獸貉獸名如虎而豕蠡古作𤝞狎通作獨 𩞄 粥也 𨎕 車名 蛸 蛸蛛步也

𧯛 足跗 豋 豆名 擅 抽也 ○祿 盧谷切說文福也一日居官所給稟亦姓文八十八 录 說文刻木录录也一日本也又姓

漉淥 說文浚也一日滲也或从录 盝𥁞 爾雅竭也或从水通作漉 濼 說文齊魯間水也引春秋傳公會齊侯于濼 㖨 笑也一日鳥聲 琭 玉皃老子琭琭如玉 𪑤䵓 䵓𪑤垢黑也或从录 𤮊 博雅瓴甂甂甋也 磟𥗩 磟碡田器或作𥗩 簏

箓 說文竹高篋也或从录通作盝 簶䕿韉 胡簶箭室或作䕿韉 𦊹𦋺 說文罜麗也或从祿 麓𣖮 說文守山林吏也一日林屬於山為麓引春秋傳沙麓崩古从录 𦁸 紕也 睩 說文目睞謹也 瞜 瞜睩目明也 𧢄 笑視也 𡝯 㜷也

𤿎 𤿎䵝皮肉瘦惡也 𦗳 私聽也 𧑗 字林𧑗聽蟲名似蜥蜴出魏興居樹聞人聲下齧人人必死復上樹聽聞人哭乃去 娽 顓頊之妻

一日隨從也 𣪠 擊也 𧯗 吳王孫休子名 摝𢫕 振也或作𢫕 趢 趢趗踞也 𧾱 趢趗走聲 𥚃 祭名 𨋹 車聲

𩅥 暴雨謂之𩅥 醁 酒名 角 獸不童也漢四皓有角里先生 𩓐 項也 觻 說文角也張掖有觻得縣 鱳𩺭 說文魚名出樂浪潘國或从鹿 鏕 鈴名一日鉏鏕縣名 𧤗𧤵𧥄 東方音也或从鹿从角 樚 樚櫨井上汲水木 轆𨍭 博雅車軌道謂之轆轆一日纏車或从录

艒 艒艬舟也 谷 谷蠡匈奴王 碌 碌碡石也 䟿𨅺 行皃或作踛 襮 襮褖衣聲 逯 說文行謹逯逯也 廘 庘也 鹿 說文獸也象頭角四足之形鳥鹿足相比从匕亦姓 騼 博雅騼驢馬屬一日野馬 𤿲 白獸 螰 蟲名爾雅蜓蚞螇螰一名蟪蛄

皾𢽼 獸皮有文皃或从文 蔍 蔍蓮艸名 䕿 艸名鹿蹄也一日鹿葱 録 録録不自異 妯 𧨴 爾雅動也博雅謯録也 盝 蟲甲 熝𤑊 火爆未日熝或从火 𧢲 𧢲録見也 𩾧 上飛皃 𡏖 地名梁有𡏖口

𡔲域 椂 木名 膔 腹鳴 𡞤 𡞤𡞤蜀人埋鹿臭而食之 𢠳 心開一日心轉 𡞤 女字 𡎏 𡎏菌艸名地蕈也 聾 耳鳴通作睩 𨛫 地名 𣞹 𣞹心柿名 ○福 方六切說文祐也文三十六 腹 說文厚也一日身中 複 說文重衣也一日褚衣 愊

幅畐 說文布帛廣也或作幅亦省 輻 說文輪轑也 復 重也 𢓭 漢法除其賦役也通作復 蝠 蟲名說文蝙蝠服翼也

鞴韉革帶或作鞯 箙竹實 鍑釜大口者 鶝鳥名爾雅鶝鶔鵖鴔如鵲短尾射之銜矢射人 踾踾踧聚也 輹

車軸縛也 業瀆也 偪偪陽國名在宋 楅楅衡牛角橫木 覆倒也審也 艒艒艒大舟 蕌艸名 䈏織具一曰竹名

稪穀名 葍蕌蕧說文葍也或作蕌蕧 𩛰食也 复行故道也 亯古作亯 澓姓也 𥨍𡓃

𡋯穴地以居或从土亦省通作復 諨言也 堛土凷也 𡣍女字 ○蝮芳六切說文虫也爾雅謂之蝮一曰虺博三寸首大如擘文十

七 覆反也 輹說文車軸縛也引易輿脫輹 蕧艸名說文盜庚也一曰旋蕧似菊 𡺻山名 䯱婦人首飾 𥨍𡓃

說文地室也引詩陶𥨍陶穴或从土 畐滿也 蕧艸名通艸也一名烏蕧 複重也 腹厚也一曰身中 葍蕌艸名或作蕌

䨱覆水也 副疈剖也或作疈 ○伏房六切說文伺也文五十三 虙說文虎皃古有虙犧氏亦姓 𠬝說文治也

从又卩卩事之節也 服肞𦨈說文用也一曰車右騑所以舟旋从𠬝一曰事也古作肞或作𦨈亦書作般 𡕒复說文行故道也

隷作复 復說文往來也亦州名 畐滿也 𤺌𤸰方言病也一曰勞復也或省 𧿳屈手足伏地一曰行皃 𩲡說文鬼鬽皃

絥𩏄𩋎鞴說文車絥也或从韋从革亦作鞴 茯茯苓藥艸 𩍈轐說文車笭間皮篋古者使奉玉以盛之或作轐

輹𨋶車下縛也或从伏 箙鞴𩌄䈏說文弩矢箙也周禮仲秋獻矢箙或作鞴𩌄䈏 椱機持繒者也 栿梁也

棴木名出崑崙山 垘土壅曰垘史記川塞谿垘 𥨍𡓃𡋯博雅窟也或从土亦省 匐伏地皃 澓洑伏流

也或从伏一曰澓姓也 蕧艸名說文盜庚也 菔蘆菔艸名一曰刀劍衣 馥香氣也 稪穀名 䮒馬名 鵩妖鳥也

鰒海魚名 犕用牛也通作服 蝮蛇名廣三寸色如綬鼻有針一名反鼻大者百斤一曰蝮蜻蜙也 鴔鶝鴔鵖鳥名戴勝也或

作鶝 復博雅重也 𧌐𧌐蟦神蛇也二身同首六足四羽見則不雨 蕌艸名 㚆女字 𧼤䞒𧼤小兒手據地行 ○目𡆧

莫六切說文人眼象形重童子也古作𡆧文二十一 睦𥈠說文目順也一曰敬和也古作𥈠 𡍼說文細文也 繆謚也古有魯繆公秦

繆公 牧說文養牛人也引詩牧人乃夢亦姓 坶𡊼說文朝歌南七十里地周書武王與紂戰于坶野或从每通作牧 艒䑃

博雅艒䑃舟也或省 苜𦯊𦹆苜蓿艸名或从牧从冒 𤵸病也 穆𣪬說文禾也一曰敬也美也古作𣪬 䀲目病

𥄕敬也通作穆 嘿楚人謂欺曰嘿㞙 𧘱衣縫 ○肅𢟍息六切說文持事振敬也从聿在𣶒上戰戰兢兢也一曰進疾

也古作𢟍文二十九 𡖐夙㑉𠈬說文早敬也从丮持事雖夕不休早敬者也隷作夙古作㑉𠈬 宿說文止也亦姓 潚廣雅清也

𣹱濕也䬁颼廣雅風也或从宿艏博雅艄艏舟也捒𢿐博雅擊也或从文橚木名一日木茂皃蓿
苜蓿艸名佩倜佩不伸也玉𤨏璛琢玉工或作𤨏璛玉又姓𥕢廣雅礪也鷫鷞說文鷫鷞也五方神鳥也東方
發明南方焦明西方鷫鷞北方幽昌中央鳳皇司馬相如說或从㚇翻博雅飛也驌驌驦良馬通作肅鱐魚名鮏毋也一日魚脂蟰
蟲名爾雅蟰蛸長蹄也鏽鐵鏉也嘯吹氣若歌○鼀𪔂蟗七六切蟲名說文圥鼀詹諸也其鳴詹諸其皮鼀鼀其行
夫夫或从酋亦作蟗文十三蹴蹙踓說文躡也或作蹙踓𡤻爾雅終也噈歗也𧜬博雅好也𨡥說文醜也一日
老女也𥳛笡也覤規覤面柔也䠓迫也○蹙戚蹜子六切迫也或作戚蹜亦書作蹴文三十三顣顣頞皺鼻也
潚說文深清也蹴蹋也逐也或書作蹙踧跦說文行平易也引詩踧踧周道或省𡤻爾雅終也𢼅說文恚然也引孟子曾西
𢼅然一日悲皃㰗噈說文歍𣤩也或作就啾味𣣔也一日無聲或省慼𨆻𨆻宻恆泥也或从蹙膕膔腒膔膏澤
也或从心縬縮也一日縐文𧜬衣鮮明皃摵至也槭說文木可作大車輮𥠊吳俗謂麩米為餌曰𥠊𥳛篴
𥳛廣雅𥳛𥮾謂之笡或从旦亦省蠍蟲名博雅蚑螻蛸蠍也勣截也摵勁也慼博雅𢣶也一日憂也𡣡博雅好也

鼀蟲名詹諸也訹樂懸斷皃○摵就六切廣雅至也文七蹴蹴然敬皃𢴝極擊也𢼅恚然也一日悲皃𣪄
噈歍𣤩也或作就𥳛笡也○尗菽式竹切說文豆也象尗豆生之形也或作菽文二十四叔村掓斜
𡬶說文拾也汝南名收芋為叔或从寸从手古作𢯺𡭟叔一日字也透博雅驚也戴也倏㒚儵說文疾也長也或作㒚㒚
儵飛疾皃倏說文走也儵說文青黑繒發白色一日儵儵罹禍毒也𪇴𧇖說文黑虎也或省鯈鮛
魚名王鮪也小者曰鮛或不省菽艸旱盡也潚波也𩆓𩆓關人名晉有庱𩆓字玄默𤓓光動皃掓引也佩倜佩不申○
俶叔昌六切說文善也引詩令終有俶一日始也或作叔文十埱說文气出於土也一日姓也𡺷說文至也琡爾雅璋大八寸謂之
琡柷說文樂木空也所以止音為節祝國名爾雅北至於祝栗諔詭也鋴銎也淑淑毋水皃○祝飢之六
切說文祭主贊詞者从示从人口一日从兌省引易兌為口為巫或从食文十三粥咮說文呼雞重言之或作咮鬻粥鬻糜也
或作鬻亦書作粥鬻柷木空也擊以作樂一日木名琡璋大八寸𨥚𨥚鬻卑謙皃通作粥嘁𠰸𠰸歎聲諔詭也鬻鬻鳩
鳥名○孰𦏧熟𩛢神六切說文食飪也引易孰飪隸作孰熟古作𩛢文十九塾闍閲門側之堂謂之塾或作𨷙

闕淑說文清湛也婌後宮女官通作淑𥓋石名璹璹說文玉器也隸作璹琡爾雅璋大八寸謂之琡叔
俶善也或从人通作淑售儥也壔𡎞堡也古从鳥䄪久也○肉而六切說文胾肉象形俗作宍非是文六衄
𦙶鼻出血也或从肉䰰魚子初生曰䰰朒月朔見東方沑淑沑水皃○縮所六切說文亂也一曰蹴也一曰縮紅也文二十四
莤說文禮祭束茅加于祼圭而灌鬯酒是爲莤象神歆之也一曰莤榼上塞也引春秋傳尒貢包茅不入王祭不供無以莤酒通作縮俗作莤非是摍
說文蹴引也一曰抽也或書作𢯱蝤蛷蟰蛸蟲名蚇蠖也或作蛷摍摗擊也或作摗摵方言到也謏小也禮足以謏聞徐
邈讀謖起也蹜宿足迫也或省通作縮趚趚趢僂也颼寒風䎘肅鳥飛或省槭博雅皂櫪也
數數數迫促意嗖笑皃欶吮也鷫鳥名橚橚矗行木皃驌馬名潚潚滷水皃○珬初六切等齊也
文十三齪踀娖齊謹也或作踀娖矗艸木盛也一曰直皃閦衆在門中或書作閦𢓜𧼩𧾷小豆
滀濕也𦏗羽齊皃硟小石皃趚直皃伬憂也或讀易伬𠊤若吉○緎縶𦁈側六切聚文也或作縶𦁈文五
塞也碱礉謂之碱○竹張六切說文冬生艸也象形下垂者箁箬也亦姓文十三竺天竺西域國名亦姓筑說文以竹曲五

弦之樂也从竹从巩巩持之也䇡䈞筑𥮰篫說文擣也古作䈞或作𥳇𥵠亦省䒢䒠艸名說文蓄苋也或
从木𥫱以手築物也㧾拾也㾮瘯痳痛皃○蓄稸勅六切說文積也或作稸通作畜文二十一畜嘼說文田畜
也引淮南子玄田爲畜魯郊禮畜或从田从茲茲益也豖說文豕絆足行豕从豕繫二足蓄艸名蓨也蓫艸名惡菜也傗色儥
起皃一曰傗佷不舒也𢻱𢻱㱩痛至皃滀滀滯也鄐地名在晉亦姓竹萹竹艸名䈬字林艸名以冬藍蒸食之酢鱁
魚名出梁州矗長直皃搐牽制也蹜足也𨏔車篕也慉起也㜃媚也𤺄腹痛○逐仲六切說
文追也文十八妯㛙方言今關西兄弟婦相呼爲妯娌或作㛙柚杼柚織也亦通作軸軸說文持輪也舳說文艫也漢律名船
方長爲舳艫一曰舟尾碡磟碡田器蓫蓫薚艸名馬尾也筑𤅊水名漢有筑陽縣在南陽或从水𩜖餅也鱁
魚名爾雅鰋是鱁體似鱓尾如鯾魚郭璞說蚰𧑅蟲名方言北鄙謂馬蚿大者曰馬蚰或作𧑅坴土塊疛心腹之疾曰疛
𩦌獸名𥳇杵有鑄○六力竹切說文易之數陰變於六正於八从入从八文三十六盝器也𡸣𡷲艸名說文
菌𡷲地蕈叢生田中籀从三𡷲坴說文土塊坴坴也一曰坴梁陸𨻉說文高平地籀作𨻉亦姓淕凝雨也漥澤名

翏飂翏翏長風聲或从風瘳病也稑穋說文疾孰也引詩黍稷種稑鄭司農曰先種後熟謂之種後種先孰謂之稑或

从翏𡣕女字𥳑竹名蔍菿萵蓙艸名或从稑蓼蔢艸長大皃詩蓼蓼者莪一曰衆薪也或作蔢磟

磟碡田器輂輻輂三箱車勠勎說文并力也或作勎戮僇㽚剹說文殺也古作僇㽚或从寸踛趢足

也摺引也騼騼騼良馬鵱鵻說文蔞鵱也或从隹亦書作鵱鯥山海經魚名羽在魼下而蛇尾有蛙海蛤負孚而有

文通作陸賣賣澤地名○肭女六切說文朔而月見東方謂之縮肭文十八恧忸聽䀻聅說文慙也或作忸聽䀻聅

𦙫食肉衄𧖴說文鼻出血也或从鼻沑泥也眲視也杻博雅刺也蚎蟲名蝤蠐也北燕謂之蝤蠐𦬁鹿豆

剹削也踿行也狃獸名抐搐抐不申○育毓余六切說文養子使作善也引虞書教育子或从每亦姓文三十七

鬻生也一曰鬻鬻謙卑皃䁱博雅望也一曰目明喅唷說文音聲喅喅然或作唷逳行也轉也昱說文明日也

煜焴說文燿也或从育錥鎢錥溫器慉心動也鬻粥鬻鬻鬻說文鬻也或作粥鬻鬻鬻又

姓賣說文衒也通作鬻粥綇說文帛青經縹緯一曰育陽染也棛稸齊後欄也或从艸萑說文艸也引詩食鬱及萑

蓿說文艸也藚艸名榮也張衡曰異荂蓲藚弆說文兩手盛也蝫伏蝫蠷蜣淯說文水出弘農盧氏山東南入沔一曰出

酈山西塾𨶅𨶒夾門堂或作闕闠儥說文賣也鄭康成曰買也通作粥翌明也書翌日乙丑劉昌宗讀儵疾皃

莊子能儵然乎堉肥壤謂之堉𢾉鷙鹡棛慢也𪐴黑虎○囿𤲞于六切苑也一曰禽獸曰囿籀从田中四木文

七痏病也喐吐聲鴥疾飛皃蔏蘛艸名蓄作蘛○畜𤲿許六切養也或从茲古作

嘼文二慉說文起也引詩能不我慉一曰驕也嫱說文媚也一曰石也鄐說文晉邢侯邑亦姓䁿低視也福褚也

十一蓫苖艸名羊蹄也或作苗通作遂傗傗佩不申蓄蓄蓄冬菜或从禾从蓄遂遂蓫艸名馬尾也

蹜足也稸積也䁕火田種也勖勉也𧩬謏詠聞香皃儥動也○鞠鞠鞠麴

麴麹丘六切說文酒母也或作鞠鞠麴麹麴麹文十六䎃曲脊鄐地名匑匔趜博雅匑匔謹敬也或作趜蛐蟲名

廣雅蛩蟺也一曰蛐蛷蠖也鮈蘜魚名鰒也或作蘜騊馬躍謂之騊蘜蘜蘧華青黃色埢曲崖外也○匊

掬居六切說文在手曰匊或从手文六十四臼說文叉手也閝閑也躹躹躬也通作鞠弆兩手盛也踘踏也趜

小六 大五十八 計三十四

春

說文窮也一曰趜趍足不伸 鞠⿱竹鞠鞫 說文蹋鞠也或作⿱竹鞠鞫亦姓 ⿰虫匊 蟲名說文⿰虫匊鼁詹諸以脰鳴者 ⿱竹⿰言匊⿱竹⿰穴匊

⿱竹⿰穴匊鞫諊 說文窮理罪人也或省亦作⿱竹⿰穴匊鞫諊 告 讀書用法曰告禮告于甸人通作鞫 竆⿱穴⿰身匊 說文窮也或从穴通作⿱竹⿰穴匊

⿰食匊 廣雅餰⿰食匊饘也 菊 艸名說文大菊蘧麥 蘜蓻 艸名說文治牆也今之秋華菊或作蓻通作鞠菊 ⿱艹匊 艸名大蘭也葉細華

紅紫色 蘜⿱艹匊⿱艹⿰匊攵 艸名說文日精也似秋華或省亦作⿱艹⿰匊攵 ⿰目匊 非眭 椈格 木名柏椈也或作格 ⿱山鞠 山高皃

⿰阝匊⿰土匊⿰氵匊 水厓外也或作⿰土匊⿰氵匊 ⿰足匊 足謂之⿰足匊 ⿱髟匊⿱髟? 鬚亂也或省 椈 木名 ⿰鞠鳥⿰匊鳥 鳥名說文秸鵴尸鳩或从

匊 ⿱匊鳥⿱匊隹 說文鳥也或从隹 ⿰犭匊 獸名黃要也 ⿰魚匊⿱艹⿰魚匊 說文魚名出樂浪潘國一曰⿰魚匊魚出江東有兩乳或作⿱艹⿰魚匊 梂 木實

⿱弜匊 稺也詩⿱弜匊子之閔斯徐邈讀 拲桊 兩手同械或作桊 ⿱匊米 漉米籔 呴 雞聲也 坧 不淨也 ⿰忄匊 謹慎 梮

輿食器一曰土轝 ⿰氵匊 水文通作泦 ⿰谷匊 谷名在上艾 爪 抨也 ⿰女匊 女名 ⿰馬鞠⿰馬匊 馬曲脊也或省 ⿰阝匊 養也盈也通作

鞠 ⿰扌鞠⿰扌匊 說文撮也或作⿰扌匊 ○⿰馬鞠⿰馬匊 渠竹切說文馬曲脊也或省文十七 ⿱匊月 說文曲脊也 ⿺走匊 趜趍傴僂也

鞠⿺毛匊 蹋鞠也或从毛 ⿰谷匊 谷名 ⿰足匊 踏也 ⿰鞠鳥⿰匊鳥⿰匊隹 鳥名鳲鳩也或省亦从隹 ⿰魚匊 字林魚有兩乳 ⿰虫匊 蟲名

詹諸也 梂 木實名 拱 廣雅法也 莍 艸名爾雅椒椒醜莍莍子聚生成房皃郭璞說 裘 皮衣 ○㦽彧

乙六切說文有章也或作彧通作郁文四十八 稶⿰禾或 黍稷盛皃或省通作彧 郁 地名說文右扶風郁夷也亦姓 ⿰奧阝 姓也 澳

說文隈厓也其內曰澳其外曰隈 墺隩⿰土乇⿰土粤 說文四方土可居也或从𠂤古作⿰土乇⿰土粤通作奧 燠⿰日奧⿰火乇⿰火粤 熱也

或从日古作⿰火乇⿰火粤 ⿰金奧⿰金或⿰金鹿 溫器或作⿰金或⿰金鹿 ⿱奧米 說文漉米籔也 噢 噢咿悲也 ⿰革或⿰黑或緎 羔裘縫也或作⿰黑或緎

⿰或欠 說文吹气也 ⿰口或⿰口郁 聲也或从郁 ⿰或欠⿰奧欠 愁皃或从奧 拗 抑也 ⿰忄幼 抑志也 薁 艸名說文蘡薁也

⿰木郁 木名郁李也 ⿰糸奧 育蠶器 [illegible] 鳥膍胵也 棫 木名柞也 域 區域也莊子无所畛域 ⿰口有 博雅吐也 ⿰忄有 心動

懊 貪也 ⿰有鳥 山海經縣雍之山有鳥曰白⿰有鳥 ⿰木有 山海經泰室之山有木名⿰木有葉如梨而赤理服者不妒 ⿰石奧 石似玉 ⿰忄或 痛心也

幼 少也 ⿰黃或 面黃皃 ⿰言憂 ⿰言憂誅聞香皃 ⿰魚幼 魚名 奧 室巾 ○砡 逐菊切堀砡齊也文一 ○⿱山族 仕六切聚

齊皃文三 齱 齒叢生 ⿰叢欠 歛也

二 ○⿰氵芺沃 烏酷切說文溉灌也或作沃亦姓文十五 鋈 說文白金也 觷礐 治樸之名爾雅角謂之觷或从石

瞖瞋目膋膏膜也鷔馬鳴腹謂之鷔一曰馬行徐疾也鱟魚名夭地名山海經軒轅國有諸天之野薁

漉米箕鵚䳓水鳥或从天𪄪纑未練鷔鳥名山鶻也○鵠䧼胡沃切鳥名說文鴻鵠也或从隹文

十五皠說文鳥之白也翯鳥白肥澤皃隺說文高至也从隹上欲出冂引易天乾隺然焳說文灼也𪙸治象齒令白也

通作鵠䑩治角也頶高鼻謂之頶閰門聲謂之閰𦏃小羊鵠邑名在韓犨牛白色㴵水聲嚳

王名○熇呼酷切說文火熱也引詩多將熇熇文十二㘁說文食辛㘁伊尹曰酸而不㘁膗肉羹𣡽澩水自渭出為澩一曰

夏有水冬無水曰澩或作澩歊氣出皃𤳢火田種也蝳𧒂蠱毒或从䖵豰小豚嗃聲也滈大雨○

酷枯沃切說文酒厚味也一曰甚也文十二焅說文旱气也硞碌硞石皃𥞇廣雅熟也嚳說文急告之甚也俈闕帝

高辛之號亦通作嚳峼山皃靠相違也悎怖也告吏休假也漢書告歸之田孟康讀𨸶大阜捁打也○

告誥姑沃切告也易初筮告或从言文十六牿說文牛馬牢也引周書今惟牿牛馬梏說文手械也祰博雅謝也一曰告祭

郜國名在濟陰周文王子所封𨸶說文大阜也一曰古扶風郿有𨸶阜鵠䧼博雅鳺鵠鵲也一說小鳥射之難中古者畫於射質以中

大百卅　小七百二十

集韻入聲九

十

世明

之為雋一曰鵠澤縣名在西河郡或从隹𪙸治象牙曰𪙸一曰齒聲靠相連也或書作靠峼山皃嚳喉嚳咽也穛蕉

䓎禾皮一曰地名或作𦽍䓎○𤛓犨吾沃切牛白色或从隺文五焳灼也嶨礐山名小石皃或从石○襮

逋沃切爾雅黼領謂之襮文四犦牛名犎也鸔𪆟鳥鸔水鳥也或从隹○僕𦤀蒲沃切說文給事者也古从臣文十四

菐說文瀆菐也从丵从廾徐鉉曰瀆讀為煩瀆之瀆丵眾多也兩手奉之是煩瀆鏷鏷鏷矢名通作僕轐車伏兔也蟔蟔蝫小蟲

襮說文黼領也引詩素衣朱襮蝮蟲名蛇也爾雅蝝蝮蜪郭璞讀跑博雅趵也雹雨沐鞄鞄莞柔革工鸔鸔鸔鳥名

嫸女嫸昌意妻暴日乾也○瑁帽蝐玥謨沃切瑇瑁也或从甲从虫亦省文十媢妬也㮎門樞

橫木艒南楚謂小船曰艒䑿𧡘突前見也媢好也䒐艸名○渢蘇篤切博雅渢渢雨也文二𧚄新衣聲

傶租毒切邑名亦姓文八𪎭毇糲米一斛舂為九斗曰𪎭或省錊姓也襊衣鮮皃𢫬收早熟禾曰𢫬毃

𣫍穿也或省○篤都毒切說文馬行頓遲文十七竺䈞說文厚也或作䈞通作篤督督督說文察也一曰目痛

或省亦作督𧛫𧞯裻說文衣躬縫或从篤从督裻說文新衣聲一曰背縫鋈饅舌𦸗𦺇艸名

韓詩蕩蕭茿也或省 毅說文椎毄物也 磬落石也 焯明也 敪𣪊名 ○毒𣫖徒沃切說文厚也害人之艸往
往而生从屮从毒古从刀啚文二十一 妯⿰亻毒動也或作⿰亻每 ⿱艹⿰氵毒 ⿱艹毒艸名說文水蓫茿也或省 纛⿰巾毒羽葆幢也或从巾
碡碌碡田器 瑇 ⿰甲毒瑇瑁介蟲或从甲 蝳蝳蜍蟲名蛛蝥也 䠍行不止 ⿰山毒或省 ⿱艹敫艸旱盡也 迪道也
進也 ⿺辶毒雨兒 苗艸名 邮鄉名在高陵 𢓊𢓊𢓊行兒 ⿰忄毒憧也 ○傉奴沃切人名虜有禿髮傉檀文八 搙捻也
褥小兒衣 耨⿰禾辱田治艸也或从禾 嗕嗕居左地匈奴別種名 ⿰禾蔑禾皮 惄飢兒 ○儥地篤切買也文一 ○
蕁撏四沃切蕁且艸名蘘荷也或作撏文四 砲聲也 鞄柔革工 ○磟盧督切磟碡田具文二 漻水名在齊
南 ○宗才竺切無聲也文一
三 ○燭朱欲切說文庭燎火燭也亦姓文二十二 屬說文連也一曰足也俗作屬非是 囑託辭也 噣蜀鴉鳥名 孎
說文謹也 歜⿰屬欠吹氣也或作歜 矚視之甚也 ⿺走屬說文行兒 ⿰糹屬 ⿰糹蜀⿰糹屬繳帶謂之⿰糹屬或省 韣弓衣 鸀⿰蜀隹
鸀鳿鳥名似鴨而大赤目紺觜或从隹 蠋螐蠋蟲名似蠶 ⿰虫屬蟲名方言蠶螬謂之蚕蠋 臅狼臅中膏 灟博雅灟灟恭也 襡

長襦一曰短衣 馵馬後左足白 斀擊也 敳擊鼓也 ○束捒輸玉切說文縛也亦姓或从手文五 倲㑪倲動兒
梀木名 ⿰口束吸也吮也 ○觸⿱角单樞玉切說文抵也古作⿱角单亦書作觕文十一 韣弓衣 歜說文盛气怒也 臅狼臆
中膏 斣說文相易物俱等為斣 鄐闕人名史記齊有邸鄐通作歜 蠋蟲名 擉刺也 㒔闕人名呂氏春秋齊有顏㒔 鸀
山海經氐人之國有青鳥赤足六首名曰鸀 ○蜀蠋⿰虫屬殊玉切說文葵中蠶也从虫上目象蜀頭形中象其身蜎蜎者蜀或作蠋亦从屬蜀
亦地名文二十二 屬附也類也俗作屬非是 ⿰屬攴擊也 獨菜名 韣⿰革蜀弓衣或从革 ⿰衤蜀襡襩說文
短衣也或作襡襩 鸀鳥名山烏也似烏而小穴乳出西方郭璞說 敳擊也 㒔㒔倲動兒 鐲鉦鐲溫器 欘木名大葉似柳
而赤 鐲鉏也 擉刺取鼈蜃 孎女字 ⿱艹蜀⿱艹蜀葵艸名 ⿺走蜀跳也 ⿰王蜀玉也 ○贖神蜀切說文貿也文四 𢧵
梁四公子名 襩長襦 ⿰革屬[illegible]也 ○辱⿸厂⿱辰寸㞾儒欲切說文恥也从寸在辰下失耕時於封畺上戮之也辰者農之時也故房
星為田候也亦姓古作辱或省文十六 蓐⿱艹⿰辱廾說文陳艸復生也一曰蔟也籀从茻 褥藉也 縟說文繁采色也 溽說文溼暑
也 媷嬬惰也 嗕嗕嗕憐也一曰羌別種 䵏黑垢 鄏說文河南縣直城門宮陌地也引春秋傳成王定鼎于郟鄏 ⿱⿲弓辱弓鬲大鼎

戲㲉博雅戟其子謂之戲或作㲉 塚牛馬所蹈處 ○㮚𠧪𥻆粟須玉切說文嘉穀實也孔子曰㮚之為言續也
籀作𠧪隸作粟亦姓文十一 慄詭隨也 䵔䵔博雅䵔䵔罽也或作䵔 剩細切也 涑水名在河東一曰浣也
玊西戎國名亦姓 䐈狼䐈中膏也 鏉金也 ○促㼻趨玉切說文迫也或作㼻文十六 趨趣𧻚速也或作
趣趚 誎博雅伺也一曰飾也 𢹂䏋弗𢹂炙筋或从肉 䶎䶎鼩小鼠 捉宋良犬也 數細也毛萇曰庶人不數罟 取
取慮縣名在臨淮 㡖博雅舍也 捒掾也 娕婧娕齊謹也 趗趗趗小步或書作是 ○足疋縱玉切說文人之足也在
下古作疋文三 哫哫訾以言求媚也 ○續賡松玉切說文連也古作賡文八 藚艸名說文水舄也引詩言采其藚 俗仕
說文習也古作仕 鸀鸀博雅䴨也或作鸗 䳭速也 ○鞻䪁逋玉切牛首絡或省文五 犦牛名 襮䙚衣
也 鸔鳥名 ○僕襆纀𦅾逢玉切帕也一曰裳削幅或从衣从糸亦省文四 ○瘃瘃珠玉切說文中寒腫覈也
或从录文十四 斸钃說文斫也或从金 欘說文斫也齊謂之鎡錤一曰斤柄性自曲一曰木枝上曲 擉博雅執也 嫋嫋嫋女謹
順皃 豖豖豖絆足行皃或作豖 㩽刺也莊子擉鼈於江徐邈讀 鄹縣名 躅行謹皃 濁目汁 趨小步 ○

大、二十三 小七、十二

集韻入聲九 十二 覺

棟丑玉切說文短椽也一曰木名文八 𥻨糒糠損米也 趚趗趚小兒行 亍說文步止也从反彳 豖豖豖絆足行或作
豖 塚牛馬所蹈處 䟉走也 ○躅蠾蹢廚玉切說文蹢躅也或从蜀从豖文六 蠋蠋蠋蟲名 蠾蠋
艸名博雅羊蠾蠾芜苵也或省 ○録龍玉切說文金色也一曰采也記也文二十三 睩目無光 籙簏也一曰籍也 𣪊扑聲 𧦝
謯 𧡊說文笑視也 逯博雅逯逯衆也一曰行謹也亦姓 䟿行皃一曰恭也 趢說文趢趗也 娽說文隨從也 綠
綠說文帛青黃色也或从帛 碌石青色 淥水清一曰水名在湘東又姓 醁醽醁酒名 騄騄耳馬名 腂脂也
鵦魚名 菉菉艸名說文王芻也引詩菉竹猗猗或从綠 禄禄禄形皃為禮也陸德明說 睩謹視皃 𢜫心從也
○欲俞玉切說文貪欲也文十四 慾情所好也 谷峪爾雅水注谿曰谷或从山 黤黑皃 浴說文洒身也或書作衮
鋊說文可以鉤鼎耳及鑪炭一曰銅屑 輍輍車枕謂之輍或从育 猃說文獨猃獸也一曰豕毛長尾 鴿鵒䧕鳥名
說文鴝鵒也古者鴝鵒不踰泲或作鵒雉 螸說文螸醜螸垂腴也 ○旭吁玉切說文日旦出皃一曰旭旭驕蹇皃文八 勖說文勉也引周書勖哉夫
子 頊說文頭頊頊謹皃一曰顓頊帝高陽之號 朐朐衍戎名在北地 䫗髑䫏也或作髑 琙朽玉 𢃆黍布覆車曰𢃆

○凵曲㔾[區玉切說文象器曲受物之形亦姓隸作曲古作㔾文十四]𠙷豊[說文歒曲也隸作豊]𧌑苗笛

[說文蠶薄也或作苗亦从竹通作曲]鮈[魚名有兩乳]𧾵[行聲]蛐[蟲名引也]匤[亘也]㖆[鞫問謂之㖆]𩭐[𩭐𩭐鬈髮]

[皃]○𦥑[拘玉切說文叉手也文二十五]拲[兩手同械]挶拘[說文戟持也或作拘]輂[說文大車駕馬也]𢹂

[說文𠬞持也或作攫]𨏥[說文直轅車轒也]𧣾[曲角]𥿮[攘臂繩]𥿮[說文約也]鋦𨫼[鐵束物也古作𨫼]𥿮

梮[說文舉食者或作梮]𥻨𢍰[說文𢍰屬隸作𢍰]檋梮𨃝[山行所乘以鐵如錐施之履下或从尻亦作𨃝]屩

[說文持也从反丮]𪇆[鳥名]𡎯[水厓外]𠃨[覆手揭也]梂[櫟實]○局[衢六切說文促也从口在尺下復局之一曰博所以行棊]

[象形徐鍇曰人之無涯者惟口故口在尺下則爲局博局外有垠堮周限也文十]跼[跧跼不伸也]𦔹[博雅𦔹耕也]梮[博雅曲道栻梮也]

[作侷]駶[馬立不常謂之駶]㝅[不敢伸也]𩭐[𩭐𩭐鬈髮皃]𩷊[魚名]㞕[行促追也]侷[侷促短小皃]○王玉

玉[虞欲切說文石之美有五德潤澤以温仁之方也䚡理自外可以知中義之方也其聲舒揚專以遠聞智之方也不橈而折勇之方也銳廉而不技絜之方也]

[象三玉之連丨其貫也隸加點古作𤣩文十一]獄𡈱[說文确也二犬所以守也古从口]鳿琟[鸀鳿鳥名或从隹通作玉]砡[字林𥔲也]

大字九　小字千

邦信

趗[行不正]蚟[蠿蚟蟲名]頊[入腦頊]○傉[女足切愁悒也文二]媷[嬾也]○𪗿[仕足切速也文二]𩦺[驌𩦺]

[野馬]○數[所録切汲水疾也莊子數如泆湯文一]○娖𡝪𡝪[叉足切嬇也或从束亦作𡝪文五]齱[齒齊也]𥁕

[盂也]○匚𠥭[甫玉切受物器籀作𠥭文三]亍[足下齊]○媢[某玉切姤也文一]

四○覺𧢻𧢻[訖岳切說文寤也古作𧢻𧢻文三十五]𥇛[目明也]角[說文獸角也象形亦姓]𧣽[東方之音]

[一曰樂器通作角]𩰌[杖耑角]捔[博雅掎也通作角]桷𣙀[說文榱也椽方曰桷引春秋傳刻桓宮之桷或作𣙀]𥬀[竹欀]

[也]搉[博雅揚搉都凡也]埆[獄也]榷[說文水上橫木所以渡者也]𥈠[驚也]䀌[目動]斛[說文平斗斛也]梏[爾雅直也]

[通作較覺顴]較較[說文車騎上曲銅也或作較]傕[關人名漢有李傕]珏㲉[說文二玉相合爲一珏或从㲉]鷽[馬行疾也]

騅[馬白頟]鉸[器名]駮[雜也一曰獸名如馬一角鋸牙]顴覬[明也和也史記顴若畫一或从見通作較]矐[去目睛也史記]

[乃矐其目]㲉[盡也史記不㲉於此]壆[器之疊塉也]㴢[漬也]䯯[骨堅白]榖[木名關中謂楮爲穀]○吒[黑角切吒暴志呼聲]

[十八]㱿㱿殸[說文歐皃引春秋傳君將㱿之或从欠亦省]謞[謞謞崇讒慝也]䣊[廣雅酢也]滈𤂻滈[滈滈瀑]

○跼　曲　㠯　……　圖　曲　……

[illegible]

穀　殼　……　確　……　角　……

水沸湧皃或作濐濐轂急也翯鳥白肥澤皃㺃哮豕聲或作哮嗃惋樂也易家人嗃嗃歊歊暴木器乾而撓減

也㱿獸名㲉爾雅貔白狐其子㲉㱿火聲○殼克角切說文从上擊下也一曰素也文三十三㲉鳥子欲出者㲉

㲉㱿卵孚也一曰物之孚甲或从出从皮敲說文擊頭也搉說文敲擊也潅說文灌也一曰漬也慤㲉說文

謹也或从志確碻堅也或作碻墧說文堅不可拔也通作塙礐礐确埆嶨學爾雅山多大石

也或作礐确埆嶨學塙土高也硞說文石聲也一曰鞏也肯幬帳之象斠盛觵器皵礐皵乾也𤍧博雅曝也

榷梳木名枳也有實如柚或作梳傕姓也隺隺然心志高也槊直杖也觷治角也鬥鬬也𪗋治象齒也

○斆學轄覺切說文覺悟也从教从冂冂尚矇也臼聲篆省文二十二觷說文治角也鷽鸒說文雗鷽山鵲知來事鳥

也或从隹一曰鷽鳩小鳩翯說文鳥白肥澤皃引詩白鳥翯翯㲉礐㲉乾也澩說文夏有水冬無水曰澩一曰水自渭出

為澩或从學礐說文石聲嶨埆壆說文山多大石也或作埆壆确㲉說文磬也或从㲉㲉射具所以

盛雉皠白也壆土堅也告休謁也熇爆也婥婥嫭嬺皃濐濐瀑水皃○渥乙角切說文霑也文三十二

媉博雅好也一曰媉媉容也偓說文佺也㗉誇聲喔說文雞聲也一曰喔咿強笑也齷𨂐齷齪迫也一曰

小皃或从足腛脂豐也握𡐦說文搤持也古作𡐦剭𪑬博雅刑也或作𪑬楃說文木帳也幄

𧞅屋幬也或从衣亦作屋𧢲說文調弓也箹說文小籥也葯白芷其葉謂之葯𦾉艸名蒻也龏慤也

鷽學鸒鷽鳩小鳩也或作學鸒𩥉說文馬行徐而疾也一曰馬腹下聲約勅束也或作勅㗛笑聲韄

縛也一曰刀靶中韋鱟魚名𦡒碎脂也䈍竹名○嶽岳𡵉逆角切說文東岱南霍西華北恒中泰室王者

之所以巡狩所至古作岳𡵉或書作嶽岳文十八𩒎頟說文面前岳岳也隸作頟樂說文五聲八音總名象鼓鞞木虡也亦姓揺抨也

觷礐治角也或从石鸑鷟說文鸑鷟鳳屬神鳥也引春秋國語周之興也鸑鷟鳴於岐山江中有鸑鷟似鳧而大赤目或从隹

駁馬白頟犨𤛫說文白牛也或作𤛫礉磽山多小石也或作磽𨬁齊人謂大鋤曰𨬁○剝𠠳刎北角切說文裂也从刀从录录刻割也或从卜亦作𠠳或書作𠔾文三十

爆爆爍雜色駁說文獸如馬鋸牙食虎豹駮駁說文馬色或从

爻𣊆木落陰瑧也爾雅昄劉暴樂郭璞說皺皺䑠暴墳起也或从勹从肉亦省𥻹䈞𥫉說文手足指節

鳴也或作詨效通作肑 肑豕腴 趵从足擊也 䯥骨耑 爆𤏣爇也一曰火聲或从㬥 𣀦㩧攴擊也或从

手从勹 嚗𠰷怒聲或作𠰷 懪懪懪悶也 鸔水鳥爾雅鵅鳥鸔鸔似鴨而短頸 鳪鳥名爾雅鳪雉黃色自呼 𥖁石也

㬥聲也 ○ 璞玌匹角切玉素也或作玌文三十二 樸說文木素也 朴說文木皮也 𤆼𤆼爆竹火聲

墣圤說文塊也或从卜 釙金鏷 㩧攴撲扐扑攴博雅擊也或作攴撲扐扑亦省 㬥大呼

自勉也 鞄柔革工 颮颮颮衆多皃 蠂蚍屬 犦特牛 嚗𡂟聲也莊子嚗然放杖而笑或从㬥 爆

𤏣爇也或从㬥 𦢊皮破起 𥑇𥑇硝藥石 䁞目暗也 䯱骨箭 𥗎石聲 懪心懣 炇火裂 瓝小瓜

𧴪美財也 ○ 雹𩂣弼角切說文雨冰也古作𩂣文四十五 彴仢爾雅奔星為彴或作仢 鳵鳥名 骲骨鏃

撲擈說文挨也或不省 㩧𢶬博雅擊也或作㩧 曓㬥謈說文大呼自勉也或作曓謈 懪懪

爾雅懪懪悶也或从暴 跑博雅跑趵也一曰蹵之也 窇博雅窖也 駮𩢻獸名馬形牛尾一角或作𩢻 砲砲硃石文 㩧

牛名卽犎牛也領上肉犦肤起狀如橐駝郭璞說 𦢊𤿨肉肤起一曰皮破或作𤿨 豰𧰲說文小豚也或作𧰲 鰒說文海魚一說石決明藥

旁有七空者良 𤬯瓝瓟說文小瓜也或作瓝瓟 皰怒目 䈏竹名 箹箹箕奄帶也 㬥㪂暴乾燒也 薜

器破列裂也周禮髻貇薜暴劉昌宗讀 服啼呼也漢書譁服謝罪 爆𤏣爇也或从㬥 鞄說文柔革工也引周禮柔皮之工鮑氏鞄

卽鮑也 鑤鉋杵頭謂之鑤或省 瀑𤁻瀑瀑水沸聲或从㬥 襮襮襮唐衛仗名 㵡水激也 颮颮颮物自空墮

皃 ○ 邈墨角切邈邈悶也一曰遠也通作藐文十五 𢡚𢡚說文美也或从貌 𢹂擊也 皃貌容也或作貌 眊

𥈯目少精也一曰眊眊思也或从𣯴 𥅜低目謹視也一曰目不明 毣思貌一曰毛濡 藐藐艸名說文茈艸也或从貌 䀎

美目一曰目深 勛勤也 鞪輴束 ○ 朔色角切說文月一日始蘇也一曰北方也亦姓古書作𦣠文二十九 數數爾雅疾也

古作數 欶嗽𠹛嗍說文吮也或作嗽𠹛嗍 矟槊鎙長矛或作槊亦从金 搠博雅塗也 箾說文

以竿擊人也引虞書樂曰箾韶 娕娕娕嫿也 𥳓筲飯帚或省 渢大風雨皃 𦋺㦸罶罞不罦形 揱說文人臂皃引周禮

輻欲其揱 䌇緘也或書作綃 𣹰溯溯濯潘也或从朔 葥葥藋藥艸 梢葥稍梢櫂木無枝柯長而殺者

或作葥蕭 欙欙虖縣名在臨淮 槊木名一曰柵也 𨫼鏍也 潲潲潲水聲 ○ 娕娕婕娖孎測角

切說文謹也一曰善也或作嫊嫙娖孎文二十八 齪齺齱取促齷齪迫也或作齺齱促 擉簎捒捔刺取

鼈蜃也或作簎捒捔 簇作餅具 箹箹夆車帶或作箹 硶硶硶礫盤石或作硶 盄杯也 珿博雅齊也

鏃鋜鋤也謨曰欲得穀馬耳鏃賈思勰說或从足 鑡闕人名王莽時有廉斯鑡 趗行也 菿艸名 梛柵也 趵足齊

皃 餗鼎實 ○捉側角切說文搤也文十六 䉣籗笮也或作籗 斮斬也 蕉蘸蘸藥艸博雅蕉萎蕤附

子也或从禾从米 燋灼龜也 糕穛說文早取穀也一曰生穫曰糕熟穫曰穛或作穛 穱稻下種麥 擉刺也莊子擉鼈於江

鏃矢鏑 箹夆車帶也 汋健也 汋井一有水一無水 ○浞仕角切說文濡也文二十四 灂灂說文水小

聲也隸从爵一曰環灂滦漸鄂 汋瀏汋井一有水一無水 礐澩山夏有水冬無水曰礐或不省 齺博雅齺齒也一曰齒相近皃 捔

矟擨簎刺也或作矟擨簎 鋜足鈴 鸑鷟鳥名說文鸑鷟也或从隹 籗籗謂之罩 丵說文叢生

艸也象丵嶽相並出也 𡾰逿速也或从逿 濯明也詩鉤膺濯濯洗重讀 觕說文角長皃 鞹博雅覆也 啅衆聲

䃚碌䃚地不平一曰石也 數促也周禮數目短脰李軌讀 ○斲斵斵斫竹角切說文斫也徐鉉曰㔾器

也斤以斲之或从丮畫亦从斤或作斵斵文五十四 𤃦水名在臨湘 䙱襗博雅補也一曰長衣或从豖 琢說文治玉也 𨁀跳也

襡短衣 鐲小鉦 焯小熱 斀椓劅說文去陰之刑也引周書刖劓斀黥或作椓古作劅 斀㧻㲉

說文擊也一曰擿也或从手从戈从殳 卓𠦝說文高也亦姓古作𠦝 䅵踔說文特止也徐鍇曰特止卓立也或作踔 倬說文

箸大也引詩倬彼雲漢 䮓䮓驇馬行不前皃 晫目明也 晫明皃通作晫卓 劅大也 孎謹也 逴遠也 趠

疾走也 諑博雅責也謡也 啅衆口皃 啄噣說文鳥食也或作噣 鵫鳥名爾雅𩿜雉鵫雉 豵狵豝

龍尾一曰東方星名或从犬亦作豵通作豚 豚博雅臀也一曰肥也 涿𠃓說文流下滴也上谷有涿縣奇字作𠃓 籱籗

籗罩箌說文罩魚者也或並省亦作罩箌 䲊魚名 菿艸大皃 濁闕人名史記孔子弟子有顏濁雛 淖姓也

𧨳闕人名晉有韓𧨳 闟水名山海經成山闟水出焉 ○逴趠敕角切說文遠也一曰蹇也或从走文十八 踔博雅跳踔無常

也 戳刺也一曰戳枝痛至也 䁔明也 𨑨博雅蹇也 簎擉以杈刺泥中搏取龜鼈之屬鄭衆說或作擉 犖特止也一

曰禾名 觕水名 罩𥴦劅箌捕魚器或作𥴦劅箌 鵫雉名 卓高也 𣪯擊也 倬箸大也 ○

濁 直角切說文水出齊郡厲嬀山東入鉅定文二十八 躅 迹也 濯 說文澣也通作淖 擢 說文引也一曰拔也 戳 舂也築也

嬥 直好也 鐲 說文鉦也軍法司馬執鐲 蘿 藋 蒴藋藥艸或作藋 ⿰忄蜀 心不安也 鸀 鳥名爾雅鸀山烏似烏而小

鸐 翟 鵫 ⿰卓隹 鳥名爾雅鸐山雉或作翟鵫 ⿰犭卓 犬猛噬 蠗 說文禺屬一曰小蝯 涿 ⿰氵豖 地名一曰澤名或作涿

瀆 數也 躅 蹢躅行不進 淖 濡甚也 嬥 博雅好也 籊 竹名 靃 大雨 擢 梢擢木直上皃 欘 鉏也

玃 獸名似鹿白尾 ○搦 ⿰弱攴 昵角切持也或从攴文十 掉 搖也 搙 揾也 ⿰角卓 握也 ⿰角弱 ⿰角溺 調弓也或不省

溺 休 没也莊子大浸稽天而不溺或作休 蒻 蒟蒻豆也 ○犖 力角切說文駁牛也一曰地名在宋文十二 嚛 啅嚛辯捷

也 礐 石相叩謂之礐 爍 樂 爆爍葉疎皃或省 濼 水名在齊魯閒 躒 礫 逴躒超絶也或从石通作犖 碌

碌磏石地不平也通作礫 ⿰革翟 ⿰革翏 ⿰革翟慶皮堅也或作⿰革翏 㸌 白牛

五 ○質 職日切說文以物相贅一曰朴也成也正也形也亦國名文二十七 鑕 鐵椹 ⿰口質 ⿰言質 說文野人之言或从言

懫 博雅止也 ⿰月質 ⿰月質脬藥也可治金瘍通作質 劕 劕劑券也長曰劕短曰劑通作質 駤 爾雅大也一曰明也 桎 說文足械

也 櫍 說文柎也 礩 說文柱下石 侄 博雅堅也 ⿰至見 眰 視也或从目 郅 說文北地郁郅縣一曰至也亦姓 隲

說文牡馬也一曰陞也定也 蛭 蟲名說文蟣也一曰水蛭 恎 很也 躓 跲也 ⿵門質 門⿵門質謂之⿵門質 瓆 闕人名後漢有劉瓆 ⿰氵質

身寒皃 ⿰馬質 馬名 銍 縣名 摯 姓也 ⿱執車 車前重 ⿰女質 女字 ○失 式質切說文縱也文三 室 說文實也从宀

从至至所止也 ⿰革室 刀削謂之⿰革室通作室 ○叱 嘯 尺栗切說文訶也或作嘯文四 ⿰女七 女不謹也 ⿰七鳥 鳥聲 ○實 ⿱艹實

宲 食質切說文富也从宀从貫貫貨貝也古作⿱艹實宲文四 溢 米二十四分升之一也一曰滿手為溢儀禮一溢米劉昌宗說 ○日 ⿴囗乙 入質

切說文實也太陽之精不虧从口一象形唐武后作⿴囗乙文十六 苜 艸名 昵 暱 親也或作暱 臸 說文到也 ⿺辶臸 說文近也 ⿰忄刃

⿰巾日 枕巾或从日 ⿰舟日 舟飾 釰 鈍也 衵 說文日日所常衣 馹 ⿰馬刃 說文驛傳也或作⿰馬刃 ⿰黍日 ⿰黍刃 黏也或从刃 ○

率 繂 朔律切說文捕鳥畢也象絲网上下其竿柄也一曰領也從也自也古作繂通作衛文十九 ⿰辛率 說文素屬 衛 衞 說文將衛

也古作衛 ⿰木率 木名 ⿺辶率 說文先道也 帥 帨 說文佩巾也或作帨 ⿰亻率 行皃 ⿺風率 風聲 ⿰率刂 割也 蟀 ⿱帥虫 蟋蟀

蟲名或从帥 ⿰月率 腸間脂 咰 歠也史記楚先有熊咰是為蚡冒 ⿰衤率 衣也褐謂之⿰衤率 ⿰口率 聲也 ⿰片率 板也 ○悉

𢘓息七切說文詳盡也古作恖文十八𥿪縏𥿪也僁爾雅聲也或从偖厀膝𦢍說文脛頭卪也或作膝亦从厀

藤𦾂牛藤藥艸或作𦾂蟋蟋蟀蟲榛博雅祴祏祴桼也㮚木名可為杖𢖝𢖝㣧搖也四關中謂四數為四

駟四乘馬肆放也窸從穴出也○七戚悉切說文陽之正也从一微陰从中衺出也文十四桼𨙻榛說文木汁可以髹

物象形桼如水滴而下古作𩊾或作榛漆𣹲說文水出右扶風杜陵岐山東入渭一曰入洛亦姓或作淶𣙰說文木可為杖茮

茮艸名似蘇或作茮邿說文齊地也鶔說文鳥也吀聲也莊子吀者吸者徐邈讀鮗魠魚名或从七○

堲即子悉切疾也書朕堲讒說一曰燒土也禮夏后氏堲周一曰燭盡或省文十七𣲖灑也扻擳摘也或作擳𨑲

𧊿蟲名方言蜻其鳴者謂之𧊿或从虫楖木名楖栗嘰鼠聲蝍蟲名爾雅蒺蔾蝍蛆似蝗而大𧐖蝍博雅𧐖蝍也或省

通作堲𥟍秭𥟍禾重生喞咇喞言多也𥨍窸窣鼠在穴中聲淁淖濺也唧啾唧衆聲○疾廿鉃

𤵸昨悉切說文病也古作廿籀作𤕫文十五嫉嫉𢙌說文妎也一曰毒也或从女从心亦書作𤸃揤拭也槉爾雅

關謂之槉一名枅蒺蒺蔾藥艸螏螏蟼蟲名似蝗食蛇腦或書作𧐵通作蒺諔語速一曰毒也𠳊嗾聲也𧽱走遽也

𨦿𨦿鏑鐵過○必壁吉切說文分極也文四十八𦫸箕屬畢畢畢說文田网也从華象畢形微也一曰畢星一曰貫牲體木或省

亦从网畢一曰終也又國名亦姓𢿘說文𢿘盡也饆𪍿饆饠餅屬或从麥觱觱說文羌人所吹角屠觱以驚馬也或

省俗作𤏢說文熚火皃滭𩙺飋說文風寒也或作𩙺飋𤁵𣿅滭泉沸也或省亦从畢珌𤨯

說文佩刀下飾天子以玉或从畢𨮾簡也通作篳彃說文䠶也引楚詞羿焉彃日一曰弦也韠𩍐韍韠說文韍也所以蔽前

以韋下廣二尺上廣一尺其頸五寸一命縕韠再命赤韍或从皮从革通作縪趩蹕僤說文止行也或从足从人通作𧬈𡟼博雅母也

覕見也篳說文藩落也引春秋傳篳門圭窬通作蓽嶧終南山道名通作畢𧍝蟲名㮿說文木也鷝鷝鴂鳥名

青色白面一曰水澤神猈獸名鮅鰏魚名或从畢蔽小皃詩蔽芾甘棠沈重讀縪博雅縫也一曰約束一曰冠縫著武也

鉍矛欑謂之鉍𨢍飲盡也𥛚竈上祭咇嗶咇𠽶聲出皃或从畢邲地名泌水皃𦿗丑也荆也一曰

蓽莨艸名羊蹄也𧬈訬也○匹僻吉切說文四丈也从八匚八揲一匹一曰偶也俗作疋非是文七嫓女字鵯鳥名爾雅鸒斯鵯鶋

或作畢抋博雅刺也鴄鳥名廣雅鴄也通作匹𠯠𠯠𠯠垂皃○𨚔簿必切地名在鄭文三十一坒地相連次𠨘說文輔信

也引虞書弼成五服比次也怭怭怭慢也詩威儀怭怭佖說文威儀也引詩威儀佖佖泌泉水皃醓飲酒俱盡一曰揄醑
飶說文食之香也引詩有飶其香苾馝𪏐稍說文馨香也或从香从黍亦作稍縪縫也妼婦容咇言不明
𣢸吹也𩋡韠𩊲說文車束也或从畢从比柲鉍戈柄也一曰偶也或从金吡吡吡鳥聲抋刺也擊也駜
騪說文馬飽也引詩有駜有駜或作騪鮅說文魚名鮩魚名縪紟也蛂蠭屬笓次也○蠠蜜𧍧
覓畢切說文蠭甘飴也一曰螟子或从宓从蚰俗作蜜非是文二十二蠠𪓰爾雅蠠沒勉也或从黽𥁑說文拭器也宓密
𡪢默也安也或作密𡪢蔤𧂐說文芙蕖本或从蜜謐說文靜語也一曰無聲一曰慎也䁇不可測量也醓說文飲酒
俱盡也榓樒字林香木也似榧或从密䳶鳥名溢㴵淧溢溢水皃或作㴵亦省㩆拭也淧淧潷泥淖○
筆笔逼密切所以書也說文秦謂之筆或作笔文十三嗶嗶鳴也潷滗㳼博雅盪也一曰去滓或从笔从皀𤨸
玉管柲鉍戈柄或从金㩛刺也咇咇節多言也蹕走也畢揮畢壇也○弻𢐍𢏜𢐀
弼拂𠨘𢐋𢘏薄宓切說文輔也重也徐鍇曰𠩙舌也舌柔而弜剛以柔从剛輔弼之意或从二丙古作𢐊𢏮隸作弼或作拂𠨘

𢐋𢘏通作佛說文右戾也象左引之形文二十三𡘍說文大也或書作𡙇怭慢也佖威儀備也邲地名䄶䄶䅴禾重生
鴓鴓鴓鳥名駜馬肥皃柫連枷也咈違也𩋡束也佛佛仡勇壯胇𦚏胇肝大皃或从必○
密𡶳莫筆切說文山如堂者或省密一曰靜也近也秘也亦州名又姓俗作𡧳非是文二十一䈼竹名空小而有穰蠠蠠沒勉也
𧊳見鬼詞宓說文安也通作密䁇瞈瞈不測也沕潛藏也一曰塵濁謂之沕滵水流疾皃𪄻𪃺鶓鶓肌
鳥名或省亦作鴓通作密蔤𧃍荷本也或作𧃍樒香木𦔮𥇾方言聣也趙魏曰聣或从目醓醓醡醬也𥄒
𥄒不見也或作𥄒鴓鳥名茹鵏○窒陟栗切說文塞也文二十七庢說文礙止也一曰盩庢縣名跌拔也觸也𧩫諮謘
言無倫脊也𡰝倔𡰝抵牾也一曰不循理也𥎞短也挃秷𥢵說文穫禾聲也引詩穫之挃挃或从禾从室銍𨪆
銍說文穫禾短鐮也或从室隸作銍𨕫近也𠽦博雅咄也𩛄𩛄人地名一曰刈禾人通作銍𪘲𪙄說文齒堅也或从室
螲蟲名方言螻螲謂之螻蛄郅胵郁郅地名或作胵鷙卓鷙㚄不平也李軌說抶擊也莊子抶其背跌廣雅蹢躅
跮踈也𦖀聽不聰也𢹣擣也通作挃侄癡皃一曰侄仡不前也蛭蟲名爾雅蛭蝚至掌○抶勑栗切說文笞擊也文十

三咥歖笑也或作歖眣眰說文目不正也或从至跮跮踱乍前却也紩縫鷙卓鷙行不平也⿰黽辰
笑皃莊子⿰黽辰然而笑徐邈讀呹聲也⿺鬼失⿰歺失厲鬼或从歺⿰齒至齧聲○秩直質切說文積也引詩穦之秩秩一曰常也次也文
二十三豑豒說文爵之次弟也引虞書平豑東作或从失通作秩紩鉄說文縫也一曰索也或从金帙袠說文書衣
也或从衣亦姓⿺風失飄索柣爾雅柣謂之閾一曰砌也姪妷兄弟之子或从失戜說文大也趃說文走也翐翐翐飛舒
遲皃荎荎著艸名侄字林侄侄勇壯一曰行皃抶擊也挃爾雅穫也戜國名山海經戜國在三苗之東洷水也袟
劒衣⿰魚失魚名祑祭有次也○㮚𣡌⿱覀㮚栗力質切說文木也其實下垂故从卤古作𣡌⿱覀㮚徐巡說木至西方戰㮚亦
姓隸作栗文二十八慄⿰忄㮚爾雅懼也或从㮚⿰王㮚瑮說文玉英華羅列秩秩也引逸論語玉粲之瑮兮其瑮猛也或作⿰王㮚⿰糸栗黃色繒
⿰㮚刂⿰栗刂削也或作⿰栗刂莅臨也一曰劉莅林木鼓動之聲顏師古說搮以手理物溧說文水出丹陽溧陽縣凓說文寒也⿰土栗
塞也颲⿺風栗說文風雨暴疾也或从栗⿱艹栗篥艸名觱篥胡人吹葭管也嵥⿰月栗山名或从月嘌嘍嘌聱也鷅
爾雅鳥少美長醜爲鶹鷅⿸鹿栗牝麕也⿰車栗車名⿰禾栗⿰禾栗⿰禾栗積禾皃⿰栗力刷纑具○暱昵尼質切說文日近也引春秋傳

大字二十六　小七字四九

集韻入聲九

佺

私降暱燕或从尼文十三㥐愧也衵婦人近身衣尼爾雅止也一曰近也䵒⿰黍刃說文黏也引春秋傳不義不䵒或从刃痆
痒也秜稍先熟者⿱匿䖵[illegible]蟲一曰蟲食病䁥小目⿰木匿木名神異經南方大荒之中有樹名⿰木匿其高百丈匿隱也○逸
𨒯弋質切說文失也从辵兔兔謾訑善逃也古作𨒯通作劮文二十六詄志也欥詮詞一曰喜也佚說文佚民也一曰佚忽也佾⿰彳肖
說文舞行列也古作⿰彳肖軼說文車相出也一曰侵軼泆說文水所蕩泆也⿱穴失穴也溢⿰氵皿說文器滿也一曰米二十四分外之一也或省
鎰二十四兩爲鎰一曰米二十四分外之一通作溢紌縷一枚也齸麋鹿受食處⿰馬失馬足疾鴩水鳥名失放也鄭司
農曰放失六畜⿰夕血鳥卵坼也禮卵生者不⿰夕血范宣讀迭過也浸也洫深意莊子老而愈洫郭象讀秩鳥名爾雅秩秩海雉如雉而黑
在海中山上施乾讀劮妷博雅劮媥也或作妷⿺辶筅廣雅罝也呹疾也一曰羊呴皃○欯閴吉切博雅喜也文七佶行皃
歖說也一曰無憖也恄怖也咥咭笑皃或从吉⿺風吉風皃○詰喫吉切說文問也文八趌說文趌趨怒走也結
多也䮗馬色也劼用力也蛣蟲名說文蛣蚰蝎也髻竈神名箸赤衣狀如美女歖無憖也○吉激質切說文善也亦
姓文廿六拮拮据手病詩余手拮据𨛜地名趌趌趨走皃鞊鞅也⿺走戠走皃結繫也洁水名狤狂也

拮 吉 趌 結 洁 桔
𠽈 咭 䓀 𡍡 吉 䕺
欯 佶 𡋐 砝 吉 䓀 𡌰 結
𢭃 姞 𡌤 𨑽 吷 欯 結
血 泆 洫 袂
𨓍 䋬 泆 洫 疾 䟾 駃 夬
𨏃 㦹 吷 決 𥉮 突 㓦
𦖆 軼 決 趹 吷 疾 佾
縣 𨒨 𢁏 䍃 𧾷 頁
𣄱 𢇁 𠲿 𡐃 𢬃 惕
𣑘 𢊁 𧾷 䎝 疾 衆 阳 𥩈
䜺 𩅒 軟 䡡 𣜩 𨯐 𠲖
剌 㮚 𩕄 𣡪 㮚 䃀 栗
雐 𣓌 栗 𣙆 𣏎 𩇕
軒 揀 楝 楳 㮚 溧 溧 䰳
𦡞 栗 栗 𥟤 椎 𨒨 娎
䕻 㮚 菓 𢊁 㮚 栗 𥚃
𡎊 佸 挃 𦩁 𣜬 𡌔 跌
詄 佚 𣫽 䋞 𧽈 㑀 洒
𤞲 趺 跌 鐵 𢭃 昳 𢨁
咦 鉄 𡐃 昳 㓗 鉄 鉄 䁈 㸷 昳

一日狤猲獸名出西域㬥熏陸香身無毛 秸鵠秸鞠鳴鳩也或作鵠 髺竈神名莊子竈有髺李軌說 蛣蛣蟩井中蟲名 孑

博雅孑孑短也一日無右臂 郅郅偈竿杠皃顏師古說 ⿰吉皮皮㬎 ○弌益悉切說文惟初太始道立於一造分天地化成萬物或作弌

文七 壹說文專壹也 嬄嬄㜲婦人皃 噎饐⿹弋食食塞咽也或作饐⿹弋食 ○肹黑乙切說文響布也从十从㕣徐鉉

曰㕣振㕣也文一 ○暨戟乙切巳也亦姓吳有暨豔文二 疙博雅癡也 ○姞吉郅極乙切說文黃帝之後百鯀姓后稷

妃家也或作吉郅姞一日謹也文十一 佶說文正也引詩旣佶且閑 趌直行也 狤狂也 鮚蚌也會稽有鮚醬 劼有志力也

仡壯勇也 芞香艸 ⿺走乞怒走也 ○乙億姞切說文象春艸木冤曲而出陰气尚彊其出乙乙也亦姓文七 鳦玄鳥也或

通作乙 汔水涸今謂去飯水為汔 ⿰飠乞臭也 吃吃吃聲也 ⿰壹乞博雅貪也 軋報也 ○拂普密切拂汩風動皃文一 ○

⿰耳乙逆乙切聲耴魚鳥之狀文十三 疙博雅癡也 朏無知意也 舠舟行皃 齾斷也 圪說文牆高皃引詩崇墉圪圪

屹山危皃 㳬水流皃 劮劮劮動也 听笑皃 䶐危也 剆截也 㠎小山也 ○颭越筆切說

文大風也或作颭文十一 位居有著定也 扢博雅投也 驈驈驪馬白跨也 眛目動 汩淢說文水也或作汩淢 ⿰虫日

𧎙蛇似蟹 莁艸名 ○欯咭火一切博雅欯欯喜也或作咭文二 ○茁莊出切艸初生皃文一 ○耋地一切老也文三

垤蟻封 蛭蟲名 ○茁厥律切艸初生皃文四 ⿰巛隹谷名 繘綆也 蕎艸名 ○絀式聿切縫也一日出皃文

一 ○窒得悉切塞也文二 ⿰扌窒廣雅擿也 ○剟摭律切斷割也文一 ○殺都律切殳也文一 ○屈僪

其述切狂屈佹張似人而非也李頤說或作僪文五 趣走皃 醷䤚博雅醬也或从鹵 ○佶其吉切壯健皃文四 吉姓也詩謂之尹

吉 鮚鮎鮚大蛤 咭笑皃 ○驈戶橘切驪馬白跨文二 穴孔也 ○昵暱乃吉切近也或从匿文二 ○僪

獝䫻獝休必切驚遽皃禮鳥不獝或作獝䫻獝文十六 眓直視也 䀢急速皃 洫水流皃 㳷眾走 烕

狂也齊人語一日怒也 驈䀢眛目深皃或作䀢眛亦書作眓 怵惐㤜博雅狂也或作惐㤜 颰風也 ○⿰豸出

女律切獸名無前足文三 柮斷也 呐語不明 ○繘其律切綆也文九 趫遹狂走皃或从辵 僪魑狂鬼或从鬼

醷醬也 趨越走皃或从出 矞錐穿物 ○鳼魚一切鷊易其人天且鳼王肅讀文一 ○抉大一切鬩也文一

○齜測瑟切齧聲文一 ○𤼵側律切吳人呼短文二 䶍鷄子出殼聲

六○術食律切說文邑中道也一曰技也文二十八 述遂說文循也亦姓籀从秫 沭[氵術]說文水出青州一曰技也

齣說文齣齒也 潏爾雅水中可居者曰洲人所為為潏 蒁說文艸也 鉥說文綦鍼也 絉縷也 袕衣開孔也 矞

博雅穿也 [土术]高也 袜紉衣 趉走皃 噊爾雅危也 秫朮說文稷之黏者或省 驈駯說文驪馬白胯也引詩有

驈有騜或从聿 鱊鱊鯞魚名 [虫矞]蝗也 繘綆也 遹邪也詩遹遹回遹 馽馬絆也莊子連之以羈馽李軌讀 鷸[辶鷸]

翠羽鳥也或作[辶鷸] 芛艸華○出尺律切說文進也象艸木益滋上出達文一○卹雪律切說文憂也一曰鮮少也文二十二 恤說文

憂也收也 賉賑也 訹怵鉥說文誘也或作怵鉥 謐靜也 戌說文滅也九月陽气微萬物畢成陽下入地也五行土生於戊

盛於戌从戊含一 珬球珂謂之珬或作球 [虫戌]蛆也 [艹沭][艹沭]水流皃 [金戌]鋸聲一曰[金戌]瑣處也 [虫戌]水蟲名海蜯也

[口戌][血欠]聲也或作[血欠] [illegible]不能行也 [出鳥]說文鳥也 [阝祟]頹也 祟鬼神為厲 [風术]小風 [糹頁]絆前足○䪊

之出切頭皃文五 茁艸名菌䓿也 貀短也 [豸臽]鷄出殼聲 崛山皃○焌促律切燒也一曰火滅文三 黢黑也 卒

終也○卒即聿切終也文八 啐啐嗶聲也 [卒欠]口飲謂之欬 淬淬没水皃 [女卒]說文大夫死曰[女卒]通作卒 [魚卒]

魚名[illegible]也一曰鰿別名 崒山高皃 綷周也宋衛語○崒卒昨律切爾雅崒者厜㕒或作卒文十二 [卒羽]

飛疾皃 踤蹋也 捽博雅持也 誶讓也 箤笭也 啐嘈啐衆聲 萃聚也 顇顉顇短皃一曰關中謂癯

弱為顦顇 悴憂也 淬流也○[忄出]竹律切憂心皃文十六 絀縫謂之絀 窋將出穴皃一曰空也一曰不窋右稷子名 茁

艸初生皃 遯𨔧也 泏說文水皃 罬雉罟 [illegible] 面短皃或作罬[illegible] [illegible][illegible][人出]短皃或从矢从人

笜竹筍生皃 咄聲也 炪火聲○黜詘出勑律切說文貶下也或从言亦作出通作絀文十三 絀說文縫也 趉

走出也 跊[犭术]山海經流沙之東有獸左右有首名曰跊踢或从犬 怵說文恐也 [忄出]憂怖也 炪火聲一曰炪爟煙皃 欪說文

咄欪無慙也一曰無腸意 [广术]爾雅狂也 泏水流皃○朮术直律切艸名說文山薊也或作术通作蒁文八 趉走皃 [火术]

煙也 袜博雅紉衣也 窋鑿穴居也 墜隕也 蒁艸名小薊也○律劣戌切說文均布也一曰法也述也陽管謂之律文二十

九 寽說文五指捋也 [率糸]繂索也或从糸 [禾率][米率]糯米或从米 [忄率]憂悶也 嵂崒嵂山高皃 䔞博雅

紼䕯素也 摔去滓汁曰摔 類似也 淚關中謂目汁曰淚 蓫艸名 逹述也一曰遂逹行不美 [illegible]膟說文血祭

肉也或从𦞂一曰腸脂 蟀蟀蟲名或省 萃約數也 䔁博雅始也一曰艸孚田出也 葎說文艸也似葛有刺 嵂

啐呼鳴也或从率从乎 筟箻竹管以射鳥或从律 嵂壘鬱嵂不平皃或省 𩲡鬼名 ○聿允律

切說文所以書也楚謂之聿吳謂之不律燕謂之弗一曰述也遂也文三十二 遹說文回避也一曰述也 趫走也 欥說文詮詞

也引詩欥求厥寧 茟艸名蕀也 獝獸走皃 繘綆一枚也 矞說文以錐有所穿也一曰滿有所出 霱御雲謂之霱通作矞

䬘疾風 燏火光皃 潏水流皃 繘𦅸𦇑說文綆也古从絲籀从曰 銉針也 鐍錐也 繂長也 噊

說文危也一曰鳴也 鴥䎉說文鸇飛皃引詩鴥彼晨風或作䎉 䶂出也 鷸鷸說文知天將雨鳥也引禮知天文者冠鷸或从遹

蟠蟲名說文蟠蟥也 驈䮭驪馬白跨也或从聿 鱊魚名爾雅鱊鮬鱖歸 茟爾雅蕍茟葟華榮謂艸木華初生也 沭

水名出東莞 僪日傍氣也呂不韋說通作矞 遳行皃 ○橘訣律切說文果出江南文九 藡艸名廣志藡子生可食一曰馬芹

䐿月在乙曰䐿一曰月見西方通作橘 𨢄說文醬也 繘繘博雅繘絡綆也或从絲 趫說文走意也 趫蹫狂走或从足

七 ○櫛楖扻側瑟切說文梳比之總名也或作楖扻文十一 揤廣雅拭也 𥞊𥝩秭𥞊禾重生皃或省 喞

大一千二十五 小七千五

集韻入聲九

二十三

春

唧咇唧聲出皃或省 瀄瀄汩水流皃 札甲葉也春秋傳蹲甲而射之徹七札徐邈讀 笫鉃也 ○瑟𤨁𤨚

色櫛切說文庖犧所作弦樂一曰衆多皃一曰矜莊皃一曰泉流皃古作𤨁𤨚𤨚文十七 璱卹𠨘璾琗說文玉英

華相帶如瑟弦引詩璱彼玉瓚或作卹𠨘璾琗通作瑟 𦆂𦆂𦆂色也通作瑟 飋飋颼風皃 蝨蝨說文齧人蟲或省 㗌

吡聲 㓷刺也 𧕶蟋蟋蟀蟲名促織也或从悉 ○㓼剸刹剶測乙切博雅割也或作剸刹剶文十 𪘝

𪘀齚也或从出 䛏諔謪諔私言 覕覕見也 沏流皃 𡅽吡聲 ○𪘀食櫛切說文齚齒也文一

八 ○勿𣃗文拂切說文州里所建旗也象其柄有三游雜帛幅半異所以趣民故遽稱勿勿或作𣃗一曰勿莫也文十二 物說文萬

爲大物天地之數起于牽牛故从牛勿聲一曰事也 岉崛岉高皃 伆雜也 沕沕穆深微皃 昒未明也 粅粅粅粉皃 芴

艸名說文菲也 𨑨遠也 笏笢笏密皃 䀛瞋也 ○拂敷勿切說文過擊也文三十三 𩨯博雅曝也 刜斷也 髴

彿說文髴若似也或从彳 怫鬱也 拂拔說文擊禾連枷也或从犮 祓祓說文除惡祭也或作祓 甶說文

鬼頭也象物 佛說文見不審也 蛂田蟲 艴色怒也孟子艴然不悅一曰畫工設色 𨀁說文跐也 㶾㶾炥說文

熚𤈦也或省亦作炥 岪說文山脅道也 嶏石隕聲 ⿺走岪說文走也 茀茀離艸木翳薈也 袚蠻夷衣 ⿰目弗視皃

⿱雨弗雲皃 翇舞羽 帗方言帗縷毳也謂物之行敝 笰博雅箭也通作茀 ⿰音弗樂聲乍息皃 孛艸木盛皃 [illegible]

⿱弗衣橐囊滿裂衣也 沸灑也或作沸 ○弗 亞分物切說文橋也古作亞文四十七 乀說文左戾也 不無也通作弗

巿 韍 ⿰韋弗說文韠也上古衣蔽前而已巿以象之天子朱巿諸侯赤巿大夫葱衡从巾象連帶之形或从韋犮亦从弗通作芾 黻 ⿰黹弗

說文黑與青相次文或作黻古通作茀 紱 ⿰糸巿綬也或从巿 袚博雅袚襏襶也 綍引車索 紼說文亂系也或書作⿱弗糸 翇

帗說文樂舞執全羽以祀社稷也或从巾亦書作翍 ⿱弗大博雅大也或書作[illegible] 刜說文擊也 ⿰弗阝姓也漢有⿰弗阝修 茀說文

道多艸不可行 ⿰革弗輿革後謂之⿰革弗通作茀 笰箭也一曰笲謂之笰 柫治禾具 芾艸木盛也 沷寒也說文一之日滭沷

⿺風弗 颰小風謂之⿺風弗一曰疾風或作颰 沸說文畢沸濫泉 襏襏襫雨衣 ⿱雨犮雨皃 紑鮮絜皃詩絲衣其紑 蔽右車

以翟羽為飾也鄭康成說通作茀 茇竹葦絙也 胈股肉膚 蚾甲蟲也大如虎豆綠色 岪山脅道 誖 ⿱勃心

[illegible] [illegible]亂也或作勃[illegible][illegible] ⿱髟首 ⿰镸弗首飾或作⿰镸弗 𤈦 炥熚𤈦火不時出而滅一曰鬼火一曰火盛皃或省

亦从弗 祓祭名 費佹也 ○佛 拂符勿切大也一曰戾也或作拂文二十一 咈說文違也引周書咈其耇長通作拂 ⿺走岪

走也 怫說文鬱也或作弗 ⿰足弗 ⿺走弗跳也或从走 刜擊也 ⿸厂敝 [illegible] 撇理也或从[illegible]亦作撇 ⿱山弗岪鬱

山皃一曰山曲或書作⿰山弗 炥火皃 坲坲埻塵起也 茀艸木眾多皃 ⿱弗大博雅大也 ⿰弗力多力皃或書作⿱弗力 砩石名

⿰舟弗大船 費佹也

九 ○迄 ⿰忄氣 訖許訖切爾雅至也或作⿰忄氣訖文十九 仡壯勇也 ⿰食乞 ⿰食氣 餼飽也或从氣从氣 忔

博雅喜也 ⿰言希⿰言希⿰言希語也一曰語難皃 肸說文響布也从十从肸徐鉉曰肸振肸也 釳說文乘輿馬頭上防釳插以翟尾鐵翮象角所以防網羅釳去

之 汔說文水涸也引詩汔可小康一曰泣下一曰幾也 芞香艸爾雅藒車芞輿 [illegible]吳王孫休子字 扢奮舞皃一曰喜皃 肸說文

振肸也 忥癡皃 掀舉出也 ⿱殹口笑聲 ○气 乞欺訖切取也或省文五 芞艸名說文芞輿也 契字林

契丹北夷號 吃吃吃笑皃 ○訖居乙切說文止也文八 吃 [illegible]說文言蹇難也或作[illegible] 扢擊也 暨及也亦姓

⿰魚乞魚游也一曰魚名 ⿺走乞直行皃 ⿰禾乞春粟不潰 ○⿺走乞其迄切直行也文六 ⿰幾乞相切近也 汔幾也 扢奮舞

皃 芞芞蔇艸名 仡勇皃 ○乙於乞切東方之曰也象春艸木冤曲其出乙乙也文二 圪高皃 ○疙忥魚乙

切癡皃或作急文十五 趌說文直行也 仡說文勇壯也引周書仡仡勇夫 圪說文牆高皃引詩崇墉圪圪 屹⿰阝乞屹崒山皃

或从阜 ⿰乞虎說文虎皃或書作⿸虍乞 疑正立自定皃儀禮婦疑立于席西 忔心不欲也史記數忔飲食 扢奮舞皃一曰擊也 ⿰舟乙

舟行謂之⿰舟乙 劜動也 ⿱辥力斷也 釳乘輿馬首刀所以割網羅 ○⿺風胃王勿切說文大風也文十 觱羌人所吹角所以驚馬 ⿰目胃

暫見也 ⿰彳胃⿺走胃行遽皃或从走 曰發語詞 ⿰扌胃⿰扌穴⿰扌運擲也或从穴从運 鴪鳥飛皃 ○⿺風忽⿺風忽⿺風聿

許勿切疾風也或省亦从豕文十三 ⿰目欻不明皃 㚔疾也 ⿰目㚔瞁目動或作⿰目豕 欻說文有所吹起 ⿰犭㚔獸名 ⿰火豖⿰火彖

博雅曝也煨也或从彖 ⿰口欻气也一曰呵欻不明也 欪無慙皃 ○屈⿱夅出曲勿切曲也請也亦姓古作⿱夅出文十二 詘誳

說文詰詘也一曰屈襞一曰充詘喜失節皃或从屈 ⿱艹屈說文⿰屈攴也 鶌山海經馬成之山有鳥狀如鳥白首青身黃足名曰鶌鶋 ⿰虫出⿰虫屈蟲名

說文蛣⿰虫出也或从屈 ⿰金屈⿰金屈鈌鎖鈯也 ⿺風屈⿺風出風也或省 ⿰馬屈⿰馬屈産良馬通作屈 ○孑孓九勿切博雅孑孓短也一曰無左臂

或作孓文十九 崫山皃 ⿰犭屈猎⿰犭屈西域獸名食香無毛但自皐有毛廣寸至尾燒刺不能傷 ⿰足出趉⿺走乙走皃或作趉⿺走乙 ⿰糸屈裎衣

一曰結也通作屈 ⿸尸⿱毛出屈說文無尾也隸省又地名亦姓 厥突厥夷屬 ⿰屈刂說文剞⿰屈刂也 鶌鳥名說文鶌鳩也 ⿰豕屈豕穴

土也 ⿱⺮屈⿱艹屈博雅⿱⺮屈謂之刷或从艸 ⿰扌孑以杖掘出也 ⿰虫屈蛣⿰虫屈蟲名 ⿰足屈律⿰足屈多力 ○倔誳⿰革屈渠勿

切倔強梗戾也或从言从革文二十 掘堀說文搰也或从土 ⿰虫屈⿰屈力博雅力也一曰足多力或从力 趉⿺走屈說文走也或从屈

⿰衤屈⿰衤出方言自關而西謂襤褸曰⿰衤充⿰衤屈或省 ⿰王屈玉名 ⿰木屈斷木也 崛說文山短高也或書作崫 ⿸尸⿱毛出屈博雅短也

一曰無尾或省 ⿸尸⿱犬出埤倉短尾犬也 ⿰豕屈豕掘地也 詘充詘喜失節皃 ⿰歹屈殭也 ○鬱⿱林爵欝紆勿切說文木叢生

者一曰幽也亦姓或作欝古作欎文三十二 鬱欝鬱說文芳艸也十葉為貫百廿貫築以煑之為鬱从臼冂缶鬯彡其飾也一曰鬱

鬯百艸之華遠方鬱人所貢芳艸合釀之以降神鬱今鬱林郡也或作欝鬱通作鬱 菀茂也詩有菀者柳通作欝蔚 蔚艸名亦州名 ⿱臼兒

⿱臼兒屈短皃 尉尉从上案下也又姓古作尉 ⿰扌鬱捥拗戾也或从宛 熨⿱鬱火持火展繒也一曰火斗或从鬱 ⿰口豈⿰口餐

喉中鳴或从餐 爩炪爩煙出也 ⿰黑宛⿰黑冤玄黃也或从冤亦書作⿱宛黑 ⿰食宛⿱夗食⿱夗豆飴和豆也博雅餹謂之⿰食宛或作⿱夗食⿱夗豆 灪灪滃

大水皃 ⿰石鬱⿰石鬱⿰石褱小石 貍臭也周禮鳥皫色而沙鳴貍 慍惌宛心所鬱積也或作惌亦省 罻網也 ⿰黑鬱黑皃

煨畜火○崛魚屈切崛然獨立皃或書作崫文六阢高皃杌刖餘木頢頢頷面短峗屼峗崪山皃或从兀

○眣丑乙切以目使人也春秋傳眣魯衛之使文一○䂐竹勿切短皃文一

十○月囝魚厥切說文闕也太陰之精象形唐武后作囝文十八刖說文絕也跀𧿳說文斷足也或从兀通作刖抈

說文折也扤動也引詩天之扤我軏軏說文車轅耑持衡者或从兀岄山名或書作胐鈅兵器枂轂瓦卼不安皃

䚴廣雅怒也𦔆說文墮耳也玥神珠也軏車釭杌刖木餘○越越王伐切說文度也一曰墜也於也遠也亦

國名又姓隸作越文二十四𨒅說文踰也引易雜而不越𧿒說文輕也戉鉞說文斧也引司馬法夏執玄戉殷執白戚周左杖黃戉右

秉白髦或从金𩎟斧衣也珬劔鼻玉也曰說文詞也从口乙聲亦象口气出也粵噢說文亏也審慎之詞者从亏从寀引周書

粵三日丁亥或从口絨說文采彰也一曰車馬飾一曰細布娍說文輕也一曰愚也𥩟竚立也𡙇暴也樾𣞤字林樹陰

也或作𣞤𣐤木名鉞鳥名蚏蝟蠘彭蚏水蟲似蟹而小或作蝟蠘泧大水蚎蠊蚎水蟲○颰許月切颰颰風也一曰小風謂之颰文十

娍盡也泧大水皃䟄走皃狘獸走皃㞽山皃𢧵𢧵𢧵飛皃旻舉目使人也

訉廣雅怒也怴字林㦼皃一曰怒皃○闕丘月切說文門觀也一曰乏也空也文五𦅫屈𦅫狄后夫人之服或作屈瀱

瀾水名在義陽或从闕○厥𠨸居月切說文發石也一曰其也又姓古作𠨸通作氒文三十三𥗽發石也或書作磿乜乜乚動皃

从乚乁瘚欮說文屰气也或省一曰欮穿也𦏵𧱃羊豕食發土病謂之𧱃孓說文無左臂也一曰孑孓短也亅說文鉤識

也劂剞劂曲刀也𠢢強𠢢也撅說文从手有所把也一曰擊也投也橜弋也或書作橛蹷蹶說文僵也一曰跳也或从闕亦

書作蹷嬮嬇嬮女皃𩩓𦢊說文臀骨也或从肉𧽍趉說文蹠也或省蕨菜名說文鼈也蟨說文鼠也一曰

西方有獸前足短與蛩蛩巨虛比其名謂之蟨蠍蛣蠍小蟲觼說文角有所觸發也鱖魚名鷢鳥名說文白鷢王鵙也屈屈谿

地名通作厥氒說文木本𦏵羊名嶡俎名足有橫𧝞揭衣渡也趨怒走○觼其月切角有所觸發也文

二十三𠢢𢥸說文勥也或从心亦書作勶橜說文弋也一曰門梱或書作橛𧾊蹠也掘闕撅穿也或作闕撅亦書

作擘鐝磨也蹷𨇾倒也或从闕亦書作蹶𧼯趉行越趉也或省𩪺𦢊博雅髍髃骨也一

曰鷢鳥名似鷹或从隹鷢𨿸亅說文鉤逆者謂之亅象形瘚博雅病也𧝞短衣𧺯舉尾走橛橛株山名

薉菜名○噦𣤿於月切說文气啎也或从欠文十三嬮嫿嬮女皃或書作嬮豋𩚃𩛡豆飴也或作𩚃𩛡

𪒟黦說文黒有文也或从宛宛鄭康成曰兔爲宛脾焥烟火皃菀紫菀藥艸濊濁也鱖魚名○钀

語訐切馬勒旁鐵爾雅鑣謂之钀文五䡵高車皃揭長皃詩葭菼揭揭扢擊也吘語相訶拒○紇說文絲

下也春秋傳有臧孫紇文五齕齧也籺米粉麧𪍿麥糠中不破者或作𪍿○𤺺五紇切癠㾓癡皃文一○𩓐

苦紇切頰高也文一○歇許竭切說文息也一曰气越泄文九蝎蝎毒蟲𩩲骼骱骨前骨𦨣𦪊𦨣艍大舟或省猲

𤢿說文短喙犬也引詩載獫猲獢或从歇熂火焚山艸也滊字林鹽地一曰以甘水和鹹水爲鹽曰滊○訐居謁切說文面相斥罪相

告訐也文十九揭𢹃說文高舉也或从歇𥟱𥝖說文禾舉出苗也或从桀吃語難𧼮說文趌𧼮也鍻金飾鼓名大駕

鼓吹有金鍻羯𦍩說文羊羖犗也或省桀莠盛皃詩維莠桀桀偈傑偈偈用力皃或从桀藒菜名似蕨生水中

盂齊人謂盤曰盂偈虜別號騔馬走皃丩乚丩動皃从丨丨相向傑負持皃○竭其謁切盡也文九

碣嵑𡾊碣石山名或从山古作𡾊楬說文楬桀也引春秋傳楬而書之揭擖擔也或从竭偈傑偈偈

世明

用力皃或从桀○謁於歇切說文白也又姓文十一暍煍說文傷暑也或从火𩕍物敗气也緆繒壞也𢉖說文屋迫

也瘍病也閼止也塞也一說太歲在卯曰單閼鍻以鐵爲揭也𪑶黦色變也或作䵴○怫弗伐切恨怒也文一

○髮𩬳頒頒方伐切說文根也又姓古作𩬳頒頒文十發說文䠶發也一曰舉也泧寒冰也一曰風寒颰颰颰風疾

皃𦨣收繁具蕟艸名譈出言也○伐傠房越切說文擊也从人持戈一曰敗也或作傠文十九茷說文

艸葉多引春秋傳晉糴茷罰說文辠之小者从刀从詈未以刀有所賊但持刀罵詈則應罰垡墢耕起土也或从發亦書作𡎚通作伐坺

坺地名旆春也䣮俗謂釀酒一成曰䣮閥閥閱功狀瞂𢧐㕹說文盾也或从戈亦作㕹通作伐橃栰

筏艭說文海中大船或作栰筏艭𦲕艸名爾雅蘮𦲕拔艸名龍葛也○韈韤襪𧞿韎絲

妭袜帓勿發切說文足衣也从韋从衣从皮亦作韎絲妭袜帓文十三𠐿𠐿羯夷名幭東博雅幭帊帳也𦍧𦍧羯

胡羊名𡕖舉目使人○揭丘謁切舉也爾雅淺則揭文五藒艸名說文芞輿也頷禿也𠜾字林傷也趨却也一曰

武壯皃○𤓍丑伐切𤓍𤓍熢起文一○焥於伐切烟火皃文一

[illegible]

十一○没莫勃切說文沈也文九叟說文入水有所取也从又在回下回古文回回淵水也頞內頭水中也勿
卹勿搔摩也歾殁說文終也或从叟⿰王殳說文玉屬⿱艹没艸名圽埋也史記以至圽身○⿰音孛⿰立孛普没切按
物聲或省文十二朏月未盛之明古書作朏馞䭯香盛也或从出哱吹聲㛘乳母字⿱雨出雲皃艴⿰孛色
色艴如也昢日未明⿰忄出心⿰忄出然起也○孛蒲没切色惡也一曰彗星謂之孛通作茀文四十六艴佛⿰孛色
說文色艴如也引論語色艴如也或作佛⿰孛色侼強也很也勃敎說文排也又姓或从攴誖悖哱⿱或言⿱敎心
說文亂也或从心从口籀从二或亦作⿱敎心浡浡然興作皃颰風皃郣說文郣海地一曰地之起者渤⿰氵敎渤澥海名或从敎
⿰土孛⿰土勃博雅塺也或从勃⿰火孛⿰火勃煙起皃或从勃⿰香孛博雅馣⿰香孛香也通作茀⿰禾弗⿰禾孛字林⿰禾弗⿰禾孛禾秀或作⿰禾孛
䰒⿰金孛說文吹釜溢也或从金餑博雅餑餡長也⿺麦孛屑麥也⿰米孛屑米也桲方言齊楚僉或謂之桲今連枷一曰
杖也一曰榅桲果名葧⿱艹敎艸名博雅蘩母蒡葧或从敎脖脖胦齊也⿰扌孛拔也⿰孛毛⿰孛毛⿰孛毛毛短鵓鵓鴣鳥名⿰馬孛
山海經敦頭之山多⿰馬孛馬牛尾白身一角其音如呼⿱雨敎雲皃茀弋射矢名菩麻菩楊艸名⿱山⿸厂巴說文崩聲彿說文過弗

取也⿰麥音⿰麥音⿰麥孛餅也⿰日孛暗也⿱孛臭⿱孛臭⿱孛臭敗氣哱聲也○窣蘇骨切說文从穴中卒出文二十一埣土落也
⿱絲米⿱絲米也⿰卒毛毛短謂之⿰卒毛䅣稡䅣稡莠也卹捽卹勿摩也或作捽⿰麥卒⿰麥卒磨麥也或作⿰麥卒⿰鼻卒鼻聲
⿱竹⿰卒手帚也莊子搡拔⿱竹⿰卒手⿸尸月⿸尸骨博雅勞也一曰勃⿸尸月行皃或作⿸尸骨淬没也⿰孛鳥⿰卒鳥⿰孛鳥⿰卒鳥鳥名或从卒⿰亻⿱卒心倅⿰亻⿱卒心不安
⿰石肖磨也⿰米肖米粉也⿰土肖塵也⿸疒肖⿸疒肖⿸疒卒瘬皃○猝⿰足卒蒼没切說文犬从艸暴出逐人也或从足文十二卒忽也
⿰歹卒暴終也⿰扌勿字林摩也紼索也刌斷也⿰月色脺耎易破也或作脺⿰骨卒小骨⿱穴卒忽自穴出也捽
捽摋行艸聲○卒臧没切說文隸人給事者衣為卒卒衣有題識者俗作卆非是文四倅兵百人曰倅通作卒⿰禾卒⿰禾弗⿰禾卒禾秀不成聚向
上皃⿱髟卒髮多皃○捽昨没切說文持頭髮也文九⿰木卒字林柱頭枘也⿰齒卒說文⿰齒卒齘也⿰角卒角始生也⿰卒毛毛生
皃崒山危峻皃⿰骨卒小骨踤說文觸也一曰駭也一曰倉踤⿱髟卒鬐也○咄⿰口對當没切說文相謂也一曰呵也或从
對文九柮榾柮短木⿰羊出⿰羊骨⿰羊出羊名朏臂也一曰膕朏曲脚也一曰胅出也⿰出骨鳥名鳴豫知吉凶或書作⿰骨出貀⿰豸骨貀獸名⿰忄出
怖也⿰馬出⿰馬骨⿰馬出獸名出北海○突宊他骨切方言江湘謂卒相見曰突一曰出皃或省文十六腯⿰月突說文牛羊曰肥豕曰腯或

十一○沒 莫勃切說文沈也 𠬛 說文入水有所取也

从突葖艸名爾雅葖蘆葩蕪菁屬𠫓𠫓說文不順忽出也从到子引易突如其來如不孝子突出不容於内也或从到古文子即易突字㤩說文肆也隸隸踤前不進也一曰逮也梲木杖也𤿎皮壞也怢忽志也㓧刺入皃捸滑利𥰭竹器湥流也○揬陁没切搪揬觸也文二十五𠫓不順忽出也突說文犬从穴中出也从犬在穴中一曰滑也

堗竈窻謂之堗凸出皃腯䐁肥也或作䐁鈯博雅鈍也鍎鋄鎗也或从突揬埤倉户持鎖植也䑶鈎舟謂之䑶𦓹耕也趃走皃摕擊也葖艸名爾雅葖蘆葩湥流皃獀獸名鶟鶵鶟鶵鳥名似雉青身白首或从隹鼵鳥鼠同穴其鳥為鵌其鼠為鼵跌足傷也裻博雅襌無襠謂之裻琛玉瑱㟮㟮屼山皃○䩗

䩗勒没切鞴韍之失謂之䩗或作䩢文十三𢾋敊鼓不滑利一曰物不安皃踤𨃄隸踤不進或从聿啛聲也埠土埂埒也葎艸名似葛硦硉峍硦矹山崖也或作硉峍掾捽也律律魁大皃○訥呐詘奴骨切說文言難也或从口亦作詘文九肭膃肭肥也抐搵抐擩也妠嗢妠心亂䞕足傷㑚憂悶㕯下聲○麧秅

麧下扢切說文堅麥也一曰俗謂䴬屑為麧或从禾从米文七齕說文齧也淈博雅淈淈流也一曰濁也扢摩也紇絲下也○扢古紇切摩也文一○搰胡骨切說文掘也文二十七扢摩也扣博雅裂也穿也一曰牽動也搰說文手推之也一曰掘也

𪒠濁垢閄婞很也从門輨轉物軸也緭繒類䁊埤倉地名一曰耳聾滑亂也傦說文瘚病也鶻䲯鳥名或从乞榾核果中實或作核掘穿也淈爾雅治也𦖨耳聾明繢采色潰決也殨膗壞也絗縷縈也紇束也一曰絲下齕齧也䞕麧䴬屑也或从麥汨涌波也○忽呼骨切說文忘也一曰輕也文三十五

溷說文青黑色曶囘說文出气詞也从曰象气出形引春秋傳鄭太子曶一曰佩也象形籀作囘淴淈水皃或从屈㧾楚謂擊為㧾一曰去塵也惚怳惚失意㝍博雅覺也一曰卧驚蠢戅也一曰熟寐迿遠也嗢𠻦博雅嗢嗢憂也或从忽𤶰狂趨昒𣉸說文尚冥也或从忽緫博雅微也通作忽笏曶公及士所搢也籀作曶象形義云佩也古笏佩之釋名笏忽也有事記其上以備忽忘

榾說文高皃匫𠥓說文古器也或作𠥓䡓埤倉急繫縛也麴麧餅屬或从忽颮颾說文疾風也或从豕古作颾豯𧰼說文豕屬也或作𧰼芴芒芴无象也扫博雅裂也𧌑說文疾也汵汵穆微也○堀窟堀苦骨切說文兔堀也或从穴亦作堀文二十七蝈蜎月所生也崛

屈崫磘 嶇屼山皃一曰童山或作屈崫亦从石 矻 石也 𠣛 𠣛𠣛勞極皃通作矻 勂 博雅勤也 圣 說文汝潁之間謂致力於地曰圣 𩑶 目出皃 𩒐 突出也 𢼊 𢼊敖不滑利也一曰𢼊𢼊不安 搰 博雅擊也方言南楚凡相推搏曰搰 顝 說文大頭也一曰醜也一曰相抵觸 𩑛 說文禿也一曰頰起皃 朏𦚊 髖也一曰胅出或从屈 㳫 字林水定也一曰漚池 搰 搰搰用力 堀 說文突也引詩蜉蝣堀閱一曰堀堁塵起皃 淈 水深也 掘 揚也 髡 去髮也 㧾 推也 ○骨 吉忽切說文肉之覈也文二十七 𩨗𤸰 𩨗病或从疒 杚 說文平也謂斗槩 扢 摩也 汩 治也一曰水聲 啒 啒啒憂也 䫘 面䫘 縎 說文結也 愲 心亂也 滑抇 亂也或作抇 淈 說文濁也一曰滒泥一曰水出皃一曰治也 䓛𥲋 字林刷也或从竹 蓇 艸名不實 𦍴 𦍴羊名 榾 枸榾木名 𧳋 𧳋貀獸名 鶻 鳥名說文鶻鵃也 䮩 䮩貀獸名出北海 槩 哀亂皃莊子我獨何能无槩 螖 螺屬 𩷂 魚名山海經𥢼澤多𩷂其狀如蚰四足食魚 稩 禾莖 𤛘 牛名 矻 磨石也 ○𩓔 烏沒切說文內頭水中也文十四 淴 淴泱水流疾皃 搵 搵抐擩也 嗢 說文咽也一曰大笑 𣰞 𣰞毲毛皃 𣢦 咽中息不利也 膃 膃肭肥也膃脖病也 殟 說文胎敗也 馧 馧䭳大香也 榲䳮 榲桲果名或从鳥 瘟 心悶皃 煴 煙皃一曰熱皃 𨉳 臭气

○兀 五忽切說文高而上平也从一在人上亦姓文三十二 扤 說文動也通作杌 杌柮 樹無枝也一曰檮杌頑凶無疇匹之皃或作柮 𦬆 艸名艾屬 矹 硉矹山崖 屼 山名一曰嵁屼童山 軏 車轅端持衡者 𦨣𦨳仡 說文船行不安也或从兀亦作仡 𩰲 梏也一曰婞很也从門 鼿𪖐 獸以鼻搖物一曰鼻仰也或从危 𤺄𤵜 說文病也或从兀 刖 絶也 𧉩 蛤屬 跀𧿘 斷足也或从兀 髡完頑 去髮刑或作完頑 坯伾 爾雅山一成坯沈旋讀或作伾 阢峞 說文石山戴土也或作峞 卼仉虮鼿 博雅危也或作仉虮鼿 䖓 蛣䖓蟲名 ○𤟏 豈紇切齒相齧也文一 ○貀 女骨切獸名無前足形如猴文一

十二○曷 害 何葛切說文何也或作害文三十三 褐𧞫 說文編枲韤也一曰粗衣或从歇 嵑 嶱嵑山皃 𣰆 博雅𣰆罽也 鞨 博雅𩋖鞨履也一曰鞣鞨北狄別種 𩪘 骨名𩪘謂之骬 偈 武皃 皛 白色 藒蘛藒 水艸似薉 可咳或从骬从曷 喝 呼也一曰喉喝怒聲 遏 水皃 骱 𩪘骱小骨一曰堅也 餲 爾雅食饐謂之餲 鶡鶡 鳥名說文似雉出上黨或从旱 鶾 鶡鶾鳥名 蝎 蟲名說文蝤蠐也 蠍 蟲名說文螻蛄也 㮫 木轉皃 犗 牛名 螛 蛒螛龍搖目吐

舌皃𥻿白米齃剌齃齃齃物聲勂勤力遏遮也揭壅也㻱石似玉轄輵轄轉搖皃顬傾顬

揚言也一曰頢顬健也一曰頢顬皐面平也○噶喝嗑許葛切訶也或省亦从盍文十五暍熱也顬頢顬健也𤾗

博雅白也𦤎犬臭也齃卧息馤字林香氣歇獥猲獦短喙犬或作獥猲獦愒曷相恐怯也或作

曷通作猲○渴丘葛切說文盡也文二十五歜敵也㵣說文欲歠也通作渴㾏內熱病骱肩髆骨嶱嵑

山皃或作嵑磕石名碣磍石皃或从葛葛艸名蝎彭蝎水蟲似蟹磆石可爲器稭禾長穗鶡

曷盍鶡旦鳥名或作曷盍鶡顬鬚禿或作顬趨趌趨走也楬毼柘不飾曰楬或作毼轞輵

輷轄車聲或从曷鼂蛙類○葛居曷切說文絺綌艸也亦姓文二十六𥳐竹名博雅笴簕桃支也璍石似玉割

刮說文剝也古作创匃求也春秋傳毋或匃奪鄗說文南陽陰鄉𣿆瀏漷水廣也一曰水名葢覆也騔騔

騔說文馬疾走也或从曷从葛猲獦猲狙巨狼或从葛趨怒走趕趕趕豎干皃鶡鶡鶡鳥名似伯勞

蝎蟲名蝤蠐也褐褐粗衣或从葛稭博雅穅謂之稭藒禾長皃輵輵輵轄車馬喧雜皃一曰室罕曠

深一日鋒戟形或从曷擖揩擖揳木聲臈臈胆肥皃○遏阿葛切說文微止也文二十閼堨說文遮攤也或作堨

庿屋迫頞說文鼻莖也或作齃洝窐洝濕潤也咹博雅止也一曰小語一曰吃也峖山名歐大呼用力謂之

歐餲食敗也爾雅食饐謂之餲胺肉敗曷逮也輵輵轄轉搖皃暍博雅暍曬熯也藹菜似蕨生水中㵣水名

靄雲霧皃藹茂盛皃按搽也○嶭巘牙葛切說文巀嶭山也或作巘文二十六屵說文岸高也

巘說文載高皃櫱櫱不桊枿說文伐木餘也引商書若顛木之有由櫱或从木辥古無頭亦作桊枿歺歹

說文剡骨之殘也从半冎徐鍇曰冎剔肉置骨也歺殘骨也故从半冎或作歺𠵨咅說文語相訶歫也口歫辛辛惡聲也或作咅亦書作㖃齾

齒缺也吽囐嵥嘈嘈吽吽聲也或从獻从幸㩵擊也𩯣鬗餘髮刖絕也孽孽孽將壞皃顬

短面也嶱嵑嵑山皃嶭𡸕嶭骨高皃𥖨礣𥖨石皃頨無髮○躃躄桑葛切跋躃行不正或作躄通

作殺文二十四薩唐六典有薩寶府掌胡神祠殺散皃史記望之殺然黃辢辛味䈤篤簸竹名𣀔蔡撒

摋說文糉𢽳散之也一曰放也或作蔡撒摋通作殺攃側手擊也春秋傳攃仇牧一曰抹攃掃滅也縩綃蜀姍姡姍婦人行衣曳地

集韻入聲卷九 三十一

皃 謋散言也 烕烕㓕拭滅 攃𣝐字林艸木動聲或作𣝐 颾颾颾颾風也或作颾 嚓聲變也 糏
糝也齊民要術時時糏之 薩香皃楚辭懷椒聊之薩薩 珊珊瑚生海中 𠼽𠼽王西戎族名 ○攃𥗰七曷切摩也或从石文五
𦄚綃蜀 𣝐艸木動聲 蔡昧蔡菀菌名 ○𩯣子末切鬘鬢多毛文十九 𢢼拭也 𢫦逼也 𨃚蹩𨃚行皃 𣳿
濽水濺也或从贊 𧄶艸木叢生也 瀐小水出也一曰灑也 𠜾刺剡薉濁也 𣛲笮也 𥗰礸𥗰石或从贊 𢡓慒懫
心慢 囋聲多也 𡜋婢也 𡯴𡯵𡯴足大也 皟白也 𣖊砕水激石皃或省 ○巀才達切說文巀嶭山在馮翊池陽文九
囋𪚺嘖啐博雅嘈囋聲也或作𪚺嘖啐 巚擊也 歺骨餘 瀐雨聲 ○怛𢜐憚
當割切說文憯也或作𢜐憚文十五 妲妲己有蘇氏女 呾相呼也 炟火起也 𪐈說文白而有黑也五原有莫𪐈縣 笪說文笞也一曰覆舟
簟亦姓 靼䩠柔革或从亶 狚山海經北號山有獸如狼赤首鼠目名曰獦狚 噠嚈噠西夷國名 胆膻胆肥皃 僤傍驚也
苴艸名䓿也 ○闥他達切博雅闥謂之門文三十一 撻𨓈敥𢷎說文鄉飲酒罰不敬撻其背引周書遽以記之古作遽敬或从
手 躂𨀩足跌或省 𡴀說文蹈也 𢓭𢓭達达博雅進也一曰行不相遇或作𢓭達达 噧𡃶高氣多言也亦

作𡃶 橽所以㳚水也 澾字林滑也 汏過也 羍𦍩說文小羊也或省通作達 𤿭皮起也 笪籧篨也 獺
𤠎獸名說文如小狗也水居食魚或从達 鰨魚名 蠆𧓍毒蟲或从䖵 大籀文象人形也 𢹿博雅擊也 蝲蝲蟿
蟲名蝎也 爉爉烷煙皃 太太末縣名在會稽 ○達达陁葛切說文行不相遇也引詩挑兮達兮一曰通也一曰迭也或作达文六
𦾝艸名馬舄也 𣵹水出皃 噠嚈噠西夷國名 羍羊子 ○剌郎達切說文戾也从束从刀刀者剌之也徐鍇曰剌乖違者莫若刀
一曰萊也文三十四 辢辛味 揧𥻦博雅擘也或从米 攋揦撥攋手披也或从剌 轢車踐也 齺𪘂說文齒分
骨聲或作𪘂 𥈶睞眸子不正也或省 瘌癩說文楚人謂藥毒曰痛瘌一曰傷也疥也或作癩 𢈆庩博雅庵也一曰獄室
或省 𤦫琜瓎說文玉也或省亦从賴 㶩爛火皃或从賴 莿艸名蕮屬 𩸷魚名或書作鯻 楋說文木也 糲
糲粝脫粟也或从厲从剌 𧩯謗𧩯語聲 溂灘名 𧌎蟲名廣雅萬蠆也一曰蝎也或書作蝲 𢂊說文刜也 喇喝喇言急
𢡲惡也 𦕰聽不相當也或書作𦕰 𩗬風皃 ○捺乃曷切字林捺搦捎也文六 䖙 㾃博雅痛也一曰螫也或作瘵 萘
吳中菜名有剌 𥃮博雅瞎也或書作𣊭 㮏捺生皃

十三○末 莫葛切說文木上曰末从木一在其上一曰無也弱也文四十六 帓 帶也 㭆 肥皃一曰四夷樂名 妺 妺嬉有施氏女 垺 塵壤也 怽 志也 頛 頛顃健也一曰面平 眜 說文目不明也 眆 目冥遠視一曰久也一曰不正視 苜 說文目不正也

袜 絉 所以束衣也或从糸 韎 韋赤色 箖 捕魚竹器 韎 韎鞨北狄別種 硃 碎石 沬 說文水出蜀西徼外東南入江

眛 師眛淺白 抹 字林抹搬滅也 䀛 瓮䀛色淺 濊 說文拭滅皃一曰塗也 昧 日中不明也 粖 鬻䭲 博雅饘也或作鬻䭲 糠 麩 說文麩也博雅糠謂之麩或作麩 醿 字林醬也 餘 秣 䕖 說文食馬穀也或从禾亦作䕖 鴸 鳥名博雅鵝鴖魯也

鮇 魚名 胅 肚也 䘢 皮也 歾 朽餘也 味 黑光也通作沬 衊 血汙也 魩 魚尾 䯦 骭䯦小骨 䮄 馬走皃

昩 舂米碎也 䟢 行過也 㭆 木名 炢 火色 莧 火不明 ○活 潪 戶括切水流皃或从聒 活 一曰生也文二十 祮 祀也

䣿 未泲酒 佸 會也 蛞 蟲名科斗也通作活 姡 詐也醜也 鬠 鬠 絜髮也或作鬠 髺 骨耑 越 𧻘 艸也春秋傳大路越席一曰瑟虛或从舌 萿 獨萿藥艸 秳 說文舂粟不潰也一曰生也謂禾生 會 項推也莊子會撮指天向秀讀 括 方言閑也

頢 䫄 說文短面也或作䫄 䑥 舟行 𢓭 𢓭适行廣 ○豁 呼括切說文通谷也文十 奯 說文空大也 眓 博雅眓眓

視也一曰眼昧視高皃 濊 濊 說文凝流也引詩施罟濊濊或作濊 泧 說文濊泧也一曰泧泧流也 𣁼 博雅抒也 濊 水聲

闊 大開門皃 黬 黑色 ○闊 苦活切說文疏也一曰遠也文十 适 疾也 蛞 蟲名科斗也一曰蛞蝓無殼蝸 筈 括 箭末曰筈或作括 佸 說文會也 跍 躛也 秳 禾皮曰秳 萿 艸名 瓾 瓜也 ○括 栝 古活切說文絜也一曰撿也或作栝文四十一

𠯑 昏 說文塞口也古从甘 髺 鬠 說文絜髮也或从會 聒 目暗 聒 說文讙語也 懖 聳 懖 聳 說文善自用之意也引商書今汝懖懖或从耳亦作懖聳通作聒 䶜 說文噍聲 銛 說文斷也 姡 說文面醜也 劊 博雅斷也 佸 說文會也引詩曷其有佸一曰佸佸力皃或作佸

頢 小頭皃一曰短面 䯏 䯏 說文骨耑也一曰髑也或作髺 蛞 蛞蝼蟲名蝼蛞也一曰科斗也 逜 适 說文疾也隸作适 活 潪 活 潘 說文水流聲或从聒隸作活潘 秳 說文祀也 檜 栝 木名

括 古作括 說文檃也一曰矢栝築弦處 筈 箭末曰筈筈會也謂與弦相會通作括 䓦 䑤 說文䓦蔞果蓏也或作栝 萿 艸名爾雅萿蘪舌 蕃 字林䕷萿瑞艸也 鴰 鳥名說文麋鴰也 會 會撮項椎也 噲 腫噲頰色剝錯也王叔之曰盈虛不常皃 匌 乞也

○斡 烏括切說文蠡柄也楊雄杜林說皆以為軺車輪斡文十二 捾 說文搯捾也一曰援也 斡 抒也 𥈱 說文短深目皃一曰

寒也 睕嫵媚也 𩈹目開皃或書作盌 嬒女黑色 懀憎也 焥烟起皃 䀐說文捾目也 滃取水也 婉臭气
○桰攢活切桰杌木短出皃文三 蕞小皃 柮柮相柱耑木 ○抈五活切折也文十 枂木除擀曰枂一曰柮枂柱耑木
頢說文短面也 扤動搖也 卼卼卼不安 外外也 刖絕也 杌椊杌木短出皃 跀去足刑 𣧹獸食餘○
撥北末切說文治也文三十七 癶說文足刺癶也隸作癶 迊說文前頡也賈侍中說 𩯍𩯍𩯍多毛 怖意不悅也
跋說文蹎跋也 帗說文一幅巾也 袚衭說文蠻夷衣一曰蔽厀或作衭 襏襏襫雨衣也 盋鉢食器或作鉢
驋馬搖首 𦍵博雅𦍵羯也 䳊鳥名似雉 鮁鱍𩸄說文鱣鮪鮁鮁或作發亦从魚 妭美人謂婦曰妭 巿
芾艸木盛皃或从艸 柭說文棓也 茇茷說文艸根也春艸根枯引之而發土爲撥故謂之茇一曰艸之白華爲茇或从伐 跀
斷足也 筏箄也 𣧹獸食餘 拔把也 墢坺發土也國語王耕一墢或从犮 袚博雅袚袂也 鏺鎌也 䑅
橃海中大船或从木 遍偏遍足大 蹳足跋物 ○鏺鏺𠞊普活切說文兩刃木柄可以刈艸或省亦从刀文二十九 癹
蹳撥說文以足蹋夷艸引春秋傳癹夷蘊崇之或从足从手 𤼵𤼵絕色淺 巿艸木盛皃 驋馬行皃 抪說文撻也一曰擊也

𤽗𤽗沫淺白色 袚袂也 𥉮眛說文目不明也或从市亦書作眛 𨠋說文酒色也 醱醱酸謂之醱或省 潑潑
弃水也或省 𦍙牯羊名 鱍鱍鮁魚游皃或省亦作鮁 迖廣雅猝也 炥說文火皃 筏箄也 笩箄也 柭
拂取也 昲光也一曰乾物 ○跋蒲撥切本也一曰跋躠行皃文四十一 拔回也 迖䟛𧼐越說文行皃一曰猝也或作
䟛越 胈膚毳皮 䯋䯋髆骨高皃一曰肩髆骨 癹蕟除艸也或从艸 犮說文走犬皃从犬而丿之曳其足則刺犮也 魃
說文旱鬼也周禮有赤魃氏除牆屋之物引詩旱魃爲虐 废說文舍也引詩召伯所废通作茇 柭矢末 鮁魚名似鯉而赤 鼥𪕬鼠肥者或从發
抪推也一曰抪垝自任無憚也 旆旗旒 軷說文出將有事於道必先告其神立壇四通樹茅以依神爲軷既祭軷轢於牲而行爲範軷引詩取羝以軷
颰疾風也 𩃧雲皃 酦字林酒氣也 馛博雅馛馛香也 㤇心起也 𦤎𦤚腐氣或从臭 炦說文火气也 坺
說文治也一曰臿土謂之坺引詩武王載坺一曰塵皃 𨉖惟射收繁具 鈸鈴屬 䮂駊䮂馬名 䳊𨾓說文鳥也或从隹 茇𨒌
艸木根或从辵 菝菝葜瑞艸也 撥絕也 蹳足跋物也 茷木枝葉盤紆皃通作茇 妭說文婦美也 ○撮最麤括切說
文四圭也一曰兩指撮也或省文六 䙉緇布冠謂之䙉 摖攥摖搏也徐邈說 黖黑也 䰉鬚也 ○繓宗括切結也一曰逢餘文七 撮

撮文四圭也一曰兩指撮也或省文六 撮謂之撮 䟶 跋 ○ 撮 最 撮 最

或以本根 茇草根也 䟶跋 茇 妭 ○ 撮 最

引詩武王載旆一曰蹎跋貌 䟶 鼥 馬 魃 旱鬼 茇

颰 風也 魃 貌 醱 酒 香 也 撥 心 妭 婦人美貌 芨

抪 自任也 一曰 沛 軷 祭 也 山行之神 軷 以 犮 茇

𣪊 貌 疒 病 也 ○ 跋 蹎 跋 行 貌 一曰 跋 涉

胈 股 毛 ○ 跋 本 也 一曰 犮 走 犬 貌 从 犬 而 丿 之 曳 其 足 則 剌 犮 也

帗 昁 白 也 ○ 沛 迹 跋 拔 擢 也

跋 撥 市 抪

撥 以 本 撥 也 ○ 鏺 鈸 市

發 文 撥 捎 也 拔 扒

芾 蔽 芾 小 貌 拔 扷 跋 扶

𩨨 首 也 沛 犮 跋 犮

跋 跋 也 一曰 沛 茷 茇

發 攳 也 文 宋 卅 本 迹 活 撥

頒 抈 扤 抈

捽 萛 拔 ○ 捐

脱 鱠 憎 脫 𡰪 㙨

挩也一曰兩指撮也㩮把也檫木錐也沛水名東入海懘拭也濊滿也○掇都括切說文拾取也文十二剟削也

敠敁敠度知輕重也一曰敠聚食不速也腏取肉骨中曰腏祋殳也一曰投祋縣名裰補也咄叱也鵽鵻鵽鳩鳥名大如鴿無後趾

或从出蝃蟲名鼅鼄也𪓐方言短也毲蠻夷織毛罽也聉不聽也○侻他括切博雅可也一曰狡也一曰輕也文八挩

稅說文解挩也或作稅脫消肉臞也莌蓅艸名生江南或从脫梲說文木杖也突卒相見皃○奪奪

徒活切說文手持隹失之也或从寸文十四敓說文彊取也引周書敓攘矯虔捝捶也解也脫說文消肉臞也一曰壞斷亦姓痥說文馬脛瘍也

一曰將傷鮵魚名青州呼鱖爲鮵莌蓅活莌艸名生江南高丈許大葉莖中有瓤正白或作蓅兌龍兌地名在趙棁博雅杖也𢓜

行也𤿭皮剝也䳘鳥名大如鴿○捋盧活切說文取易也文十一寽五指寽也𠞁博雅削也頱頱頞面醜蛶

蟲名蝸何也𪐝黑也騂馬毛色白脟脅肉也酹祭酒也𤛓駁也𣏃木名○𠟻先活切削也文二𣸈吮也

十四○黠下八切說文堅黑也一曰慧也文六䶤齧骨聲藒麻莖閰門聲磍砎磍小石齰齧齒聲○𤬴

丘八切𤬴也文十八劼用力也固也慎也㓞剝也㓞說文巧㓞或書作㓞鬝𩯭博雅禿也或从契硈砎爾雅固也一曰石堅

皃或从乞𢽫擊也姞矩也咭鼠聲𦲀葜挈菝葜艸名或从契亦作挈𩶇鮚魚名或省戛爾雅常也

絜苦也○戛拮訖黠切說文戟也之也或作拮文三十九樺鼓也曰轢楔門兩旁木一曰木名荆桃也揳擊也扴持

說文亂也禊上巳祭名契說文齧契刮也一曰契畫堅也一曰戲也頡蘱頡漢侯名忦博雅憂也懼也一曰恨也通作恝嘎嘎嘎鳴聲

砎砎磍小石一曰磨也骱䯸骱小骨尬尲尬行不正圿垢也袺說文執衽謂之袺稭秸𥢗䕸說文禾稾

去其皮祭天以爲席或作秸𥢗䕸通作戛硈說文石堅也一曰突也鶷鶷鶹鳥名鴶鴶鵴鳥名鳲鳩也通作拮揩㓤也轢之以止樂通作戛介

特也漢書介居河北晉灼讀芥小艸皃恝無愁皃挈𢰸博雅獨也或作𢰸劼博雅勤也葜艸名鬝禿也

拮拮据口手營作也屆至也䀹眹䀹視皃契戲也䄍䄍夏樂章名猰犬也忦憂也○軋札

切說文輾也或作札文二十一揠扎說文拔也或作扎䁓以目相戲謂之䁓嫼嫉而怒也貏猰猰貐獸名類貙虎爪食人或从犬

𪐹黑也虬蟲聲叱鳥聲穵窫說文空大也或从契乙鳦說文玄鳥也齊魯謂之乙取其鳴自呼象形徐鍇曰此與甲乙

之乙相類其形聲舉首下曲與甲乙字少異或从鳥圠山曲也乢䶑乢屈強也閶門聲乭石皃皀皀皃魞鱿魞魚名○滑戶八

切說文利也一曰州名亦姓文二十 [illegible][illegible] 足病或作[illegible] 磆 磆石藥名 𪙞 說文齧骨聲 䴹 說文餅䴹也 猾獪 亂也或作獪 鶻鷽學 鶻鳩鳥名似鵲或作鷽學 䱻 山海經餘峩之澤多䱻魚鳥翼出入有光 螖 爾雅螖蠌螖屬一曰蟚螖蟹小者 澮 雨水合也 叡 博雅偶也一曰深堅意 𥦪 說文因突出也 𥇛 眑睸直視兒 槶 木也 䯏 骱䯏所以凝也 趏 走也 ○傄 呼八切傄偕健也文九 䴹 麴也 䀸䀰 視也一曰慈視兒或作眲 搰 搰搰用力兒郭象說 寣 說文臥驚也一曰小兒號寣寣一曰河内相評也 𣯛 臥覺

𣢟 訶也 齂 鼻息 ○劼 苦滑切力作也文四 搰 搰搰用力兒徐邈讀 闆 大開門兒 闊 踈也遠也 ○劀 古滑切說文刮去惡創肉也引周禮劀殺之齊文一 鱊 魚名 搗 博雅折也搔也 䀛 視也 㓉 廣雅刮也 鶷 鶷鶓鳥名 趏 走也 ○婠 烏八切體德好也文十 𣣋嗗 說文咽中息不利也或从口 斛 斗取物也 嗢 笑也咽也 嗗 飲聲謂之嗗 膃 膃肭肥也 捾 抉也 𥤮 探穴也 𥦅 穿也 ○䯌 五滑切槷䯌不安也文四 聐 䶜聐癡不能聽 聉 說文無知意也 𦖿 說文吳楚之外凡無耳者謂之𦖿言若斷耳爲盟一曰聾也 ○八 布拔切說文別也象分別相背之形文十 朳𣐻 弁上具或作捌 玐 玉聲 釟 治金謂之釟 𩡧 說文馬八歲 哵 鳥聲 扒捌 破也擊也或作捌 柭 棓也 ○汃 普八切水兒文六 叭 聲也 矶 石破聲 𪗊 齒聲 糪

餅半孰也爾雅米者謂之糪施乾讀 軋 車破聲 ○拔 蒲八切說文擢也文四 𥎊 犮結短兒 菝萆 菝葜艸名或作萆 ○傛 莫八切傛傛無憚一曰健也文十二 擟 打也 䀣䀛 博雅視也一曰惡視或从勿 醠 醬也 𩨲 骱骺所以凝也 𩨱 骱骱小骨一曰骨堅 𥕕 磯研小石 𠬝 入水取物 齂 鼻息 攗 拭也 䩐 赤韋也 ○殺𢽟敎敫布𩪁 㲊煞 山戛切說文戮也古作㲊敎敫布䡞敹或作煞文十八 鎩鏭 長矛謂之鎩一曰羽傷也或作鏭 樧蔱 艸名說文似茱萸出淮南或从艸 䙾 衣縫餘 帴 說文帬也一曰帗也一曰婦人脅衣 幓 巾二幅謂之幓 㵤 寒也 摋 擊也 𩿨 鳥飛迅疾 ○察 初戛切說文覆也徐鉉曰祭祀必質明明察也故从祭文十一 詧 說文言微親詧也 𢷛 推也 䀿 博雅視也 聺 聽聰也 𪙶 齒利一曰砎也 蔡 艸名有毒殺魚 檫 木名梓屬 𩴱 羅𩴱鬼名 𢤐 審也 嚓 小聲 ○札 側八切說文牒也文九 紮 纏束也 𣦻𣦵 字林夭死也或作𣦵 𩾛 鳥名似百舌喙長 蚻蠽 蟲名爾雅蚻蜻蜻如蟬而小或作蠽 蠿 蟲名說文蠿蟊作网蛛蝥也 扎 拔也 ○齛 土滑切博雅齧齒也文一 ○茁 側滑切說文艸初生出地皃引詩彼茁者葭文一 ○窡 張滑切說文穴中見也文十 𥨒 說文口滿食 聉 無知意 娺 說文疾悍也 鵽 鵽鳩屬 窋 說文物在穴中兒一曰后稷子名 𥨊頣 說文短面也或作頢 訥

言不辯也朏鄰疾○痆瘵女黠切瘡也或从柰文四褹複襦⿰衤祭入奴衣○貀豽女滑切獸名說文無前足漢律
能捕豺貀購百錢或作豽文七柮說文斷也肭說文言之訥也朒腽肭肥皃貀豕名穵穿也○哳知戛切嘲哳鳥聲文
一○呾睽軋切呾嗟語不正文一○噠宅軋切呾噠語不正文一
十五○舝舝下瞎切說文車軸耑鍵也兩穿相背从舛萬省聲萬古文偰或作舝文二十三轄鎋輨說文車聲也
一日鍵也或作鎋輨⿰食害飲也⿰害力用力也⿰王害說文石之似玉者砎砎礦小石⿰豈舌說文凶突出也鶷鶷鶡鳥名似伯勞
⿰木害木所以正弓弩也⿱害䖵蟲名蛖蛣也⿱艹害⿱艹羊艸名方言蘇沅湘南謂之⿱艹害或省縖束也搳捾說文擖也或作
捾蝫蟲名仙姑也磍磍礍勁怒皃嗐大開口骱髖骱小骨閒爾雅代也施乾讀○瞎⿰目曷許轄切目盲也
或从曷文七⿰齒吉說文齒堅聲⿱髟害⿱髟曷博雅禿也或作⿱髟曷傄傄傄無憚⿰曷力勂勂用力聲○⿱竹害⿱竹曷⿰木害
丑瞎切敔也以止樂或省亦作揩通作揭文十二藒藒車香艸騞馬駮色礍碣礍勁怒皃髺楬桓木飾者或从木⿱髟害
禿也搳博雅擭也擖說文刮也一日撻也趏走皃○鶷居轄切鶷鶷鳥名似鳧文十擖刮也折也轕轇轕雜也

大百二十七
小百六十八

集韻入聲九

三十七

邦信

⿰齒曷齒聲鶷鶷鶡鳥名似伯勞而小⿰舌害舌出皃⿱艹割艸名⿰羊害騬羊也磍碣礍勁怒皃猰雜也○
鶡乙轄切鶷鶡鳥名文九⿵門曷說文門聲也圔馺馳聲呾呼聲磍磍破石也不平歇闕人名史記有趙王歇徐廣讀
⿰契頁怒皃輵車聲漢書皇車幽輵碣碣礍勁怒皃○瘵女瞎切廣雅痛也文二⿱竹害竹病一日竹皮○齾牛轄
切說文缺齒也文十二聐不聽受也⿰害齒器缺也⿱髟害⿱髟契博雅禿也或作⿱髟契⿱山齒山中絕皃⿱敖心字林間也一日傷也一日缺也
一日厭憗地名鶡鶷鶡鳥名似伯勞佡行不正⿰嶭鳥⿰嶭鳥鸛鳥名似鳧忦恝急也憂也古作恝○頢乎刮切小頭皃文
十九⿰舌齒齒聲姡方言獪也一日面醜一日靦也䄆秳舂未潰也或从舌咶唔息也或作唔𠯑昏舌博雅
塞也或从甘亦作舌⿰舌攵盡也絬帛細者婠好也刖危也窶面短也或書作嫯瀕瀕瀕不淨也一日言不了⿰示舌⿰示昏
廣雅法也或作祇佸會也生也勤力於田也○䀨荒刮切埤倉怒視皃文二傄傄傄健也○刮捖古刹切說文掊把也一日摩切或作捖文
九⿰示舌禳祭也鴰鳥名爾雅鶬麋鴰睆明皃禮華而睆徐邈讀⿰骨舌帛細者⿰金昏銛斷也或从舌趏走皃○
刖跀五刮切斷足也或从足文五⿰耳月墮耳也⿰夕月獸食餘訙博雅怒也一日訶也○捌百轄切木名文一○

帓莫轄切帶也文五 䄸帞貊邪巾䄸頭始喪之服或从巾亦作貊 韎赤韋○剎剎初轄切柱也或作剎文九

劕斳割聲謂之劕或从斤 猍水獸名 捺搏也 柰徐鉉曰未知所出 薊艸名 黥黑也○剩鏉

槎轄切斷艸刀也或作鏉文四 積農具 洌洌洌水流皃○鬝而轄切細毛文一○刷數滑切博雅䉤謂之刷一曰刮也文三 選

金銖兩名也 刷小嘗也○黱緆刮切說文黄黑而白也一曰短黑文六 薂除艸也 荃艸名 鄭鄭劕

博雅斷也或作劕剸○哳陟轄切嘲哳鳥聲文二 賍貨也○鵽張刮切鳥名說文鵽鳩文五 窡穴中出皃 錣策端有鐵

娺疾悍也 窡面短皃○頞丑刮切頞頞小頭一曰面短皃文二 潁潁瀕不淨也○婠娺女刮切婠娺小皃肥

皃或作娺文六 甋覽甋也或作覽亦書作甆 睵目深皃 袦帶襦也○獺逖鎋切捕魚獸文一○菱側刮切菜名文一

十六○屑屑先結切說文動作切切也一曰敬也勞也不獲已也隸作屑文十九 糏麧舂餘也或从麥 榍說文限也

䏶䘘博雅脂也一曰膭中脂或从血 蓿艸名 僁偖說文聲也一曰僁伸吟也或从屑 㣯憂也 㵤滫減

濊㵤水皃或从屑从戌 搨挺出物也一曰拭也 䟢敝跬瘦也一曰分外用力皃 䋆㣯屑本服婆娑皃一曰從屑搖也 娋小皃 懋

說文殺桌也○切千結切說文刌也爾雅屑謂之切一曰迫也要也刌也文十七 栚榍爾雅栚謂之閾或从屑 竊竊說文盜自中出曰竊

一曰淺也或省 詧嚓正言也或省亦作嚓 沏水聲一曰水流疾皃 跛跌也 齛說文齒差也 漆㯃漆祭祀之容 鏈

爾雅刷謂之鏈沈旋讀 扨博雅磨也 䊿博雅索也 聯聯聰也或省○節子結切說文竹約也一曰制也操也信也文十六 懫心有

蔑也 節草約也 傑傳傑猶趣節也 卩說文瑞信也守國者用玉卩守都鄙者用角卩使山邦者用虎卩土邦者用人卩澤邦者用龍卩門

關者用符卩貨賄用璽卩道路用旌卩象相合之形通作節 阪𠬝治也或作㔾 癤癤也 岊岊說文陬隅高山之節或从

即 櫛說文櫛櫨也或書作楶 櫛擳拭也或从手 㸅燼謂之㸅 蝍蝍蛆蟲名蜈蚣也 鯽魚名 拻治髮也莊子簡

髮而 搜斷絕也○截戳昨結切說文斷也或作截文十六 趞邪出前也 岊嶻山高峻皃或作岊嶻 蠽蟲名

海蟹也 蠘博雅治也一曰艸名 饖食也 札瘥癘也周禮大札則不舉徐邈讀 蠽蚻蟲名爾雅蠽茅蜩似蟬而小青色或作蚻

鬣䲜類長毛善走 䗘蜍水蟲名海蛆有蝚蟟或省 𥵉竹𥵉也○窒丁結切塞也文十四 絰結也 睽瞪聉惡皃

咥咥咄語無節 蛭水蛭蟲名 咥蛇咥虜姓 蛭蛭蛭蟷蟲名似鼄在穴中有蓋或从室 恎博雅很也 挃摘也 頪顚小頭

窒口 鉄也名口 垤 蟻封 蛭 水蛭 窒 六中有蓋以室 咥 笑也 垤 根也博雅 窒 塞也

蠮 長七寸一曰歲名 蠸屬 蛈 名蛛蟊類水蟲有毒 𥯤 竹名 ○窒 丁結切文十四 垤 蟻封 耋 年八十曰耋 眣 目出貌

銍 一曰手持 博雅刈也 鐵 黑金 紩 縫也 札 則不舉 徐邈讀 蛈 蜘蛛 小青色 布網 蚰蜒 名屬 或作蛛

挃 長而撞也 ○鐵 說文黑金也 或作銕 文十六 驖 說文赤黑色馬 𡸟 山高貌 䥫 或作鐵 䑓

桎 杖 說文足械也 苦 說文 檻也 竊 書作 說文 爐也 鋨 以木 年也 或作 餮 貪也 貪 說文作 餮 二 蹛 說文 謂之 蹋 蹀 魚名 水名 鳥名 鐵 說文 㕜 通也 或作 塗 高

即 田狩 目 柬 桓合 从兄 通作 節 結 節 一 節 刀 說文 壯 也 从人 曰 卩 地 節 者用 周禮 守 邦國者 用 玉節 守 都鄙者 用 角節 一 使

繃 也 或 讀 節 竹 約也 草木 今 文 節 通 作 从竹 也 節 一 曰 縫 也 或作 節 衣 或 者 ○ 蔀 蟊 蟲 之 節 二 曰 約 也 文 十 六

戚 說文 詰 語 一 日 劫 也 ○ 切 宣 王 言 也 或 作 切 說文 苦 者 巾 節 也 吉 以 下 詰 為 言 曰 一 日 誌 也 稡 說文 辭 也 一 曰 日 日 本 合 亦 或 作 以 刀

擳 ○ 切 千 結 切 說文 刌 也 也 本 作 說文 攤 一 曰 說文 結 也 棪 聞 也 木 楔 說文 揳 也 說文 竊 盜 也 或作 竊 中 出 日 竊

竊 說文 或 从 八 竊 分 糨 稡 或 作 糨 一 日 本 作 一 日 擊 也 ○ 切 千 結 切 嚙 說文 叔 吉 也 ○ 竊 說文 蟲 也 或 作 稡 貌

又 屑 从 攴 或 作 碎 也 ○ 楔 一 曰 櫼 也 屑 揳 也 說文 蛈 一 日 跌 也 楔 說文 楔 也 或 作 跌 貌 䇷 蕕

屑 說文 碎 也 或 作 屑 傳 字 書 作 屑 揳 名 一曰 說文 動 作 切 也 ○ 屑 一 曰 蒸 楔 蘖 也 或 作 楔 屑 蒼 糝 膏 屑 屑 說文 楔 也 屑 說文

屑 疏 膜 中 醫 脂 頃 也 一 曰 屑 碎 也 屑 說文 不 安 也 稡 說文 動 作 切 也 一 曰 一 日 猶 也 蛥 醫 爾 也 大 屑 說文 蟲 也 丈 碎 文

十六 ○屑 先結切 說文 動作切切也 屑 說文 不安也 亦書作 屑 屑 目 眵 一 曰 屑 塈 也 一 曰 蟲 也 ○ 楔 說文 揳 也 楔

切 文 六 屑 貌 屑 說文 或 作 屑 眉 目 深 貌 徐 楔 一 也 ○ 涅 又 也 說文 蟲 也 楔 說文 黑土在水中也

屑 說文 或 作 屑 糠 屑 小 貌 屑 說文 一 曰 屑 面 目 貌 屑 一 曰 皮 文 二 屑 說文 塗 也 屑 三 也 小 屑 一 曰 小 屑 也

又 博 作 屑 顛 也 ○ 屑 口 說文 屑 皮 文 二 屑 一 曰 屑 也 屑 說文 也 屑 文 六 屑 說文 屑 也 說文 由 穴 中 屑 由 穴 出 貌 屑 屑 說文 箭 柞 葉

各 全 屑 也 屑 小 膏 也 ○ 纂 屑 白 也 一 曰 屑 田 屑 文 六 屑 說文 黃 屑 屑 市 屑 各 纂 屑 纂

也 捺 擴 或 作 屑 文 四 說文 屑 纂 謂 之 屑 一 曰 屑 流 屑 也 ○ 屑 毛 文 一 屑 說文 屑 也 屑 說文 屑 一 曰 屑 屑 屑 文 三 說文 屑 或 省

屑 屑 屑 藥 也 屑 屑 謂 之 楔 屑 屑 屑 說文 屑 屑 屑 屑 也 ○ 屑 說文 屑 屑

屑 也 文 五 屑 屑 屑 屑 屑 屑 說文 屑 屑 屑 屑 屑 屑 屑 說文 屑 文 屑 也

皃櫍斫木具闑閉也⿴囗至下入也○鐵鐡銕鐵他結切說文黑金也或省古作銕鐵文十六擮插擮
也僣狡也餮飻說文貪也引春秋傳謂之饕餮或作飻驖說文馬赤黑色引詩四驖孔阜蛈蟲名螲蝪也耋年八十也
易大耋之嗟王肅讀𢧐替也鴩鳥名爾雅鴩餔敊或書作鴂佚怢佚蕩簡易也或从心替弛也○姪㛿徒結切說
文兄之女也或作㛿文七十五耋𦒸𢧐說文年八十曰耋或不省亦作𢧐絰⿰金系說文喪首戴也或从糸⿰臣失說文觸也
凸高也胅𩨝䏲⿰月㚔說文骨差也一曰腫也一曰連脈肉或从骨古从弟从㚔跌蹛說文踼也一曰越也或从帶
趃大趨也迭踼說文更迭也一曰迭或作踼咥⿰口耋⿰齒至⿰齒失齧堅皃或作⿰口耋⿰齒至⿰齒失詄說文忘也蛭水蛭蟲名
恎恎㤞懼也一曰很也挃𢯁博雅擿也也或省墆貯也止也慸不能自安也垤說文螘封也引詩鸛鳴于垤跮前却
皃窒實也一曰窴門冢前關皆謂之窒皇柣⿵門失桔柣鄭門名或从門⿵門至閉也泆泆蕩淫也𢧐說文利也一曰剔也軼
車相出也⿰馬失⿰馬乞說文馬有疾足或作⿰馬乞驖驖馬赤黑色或省鴩鵛𨿽鳥名說文鋪豉也或作鵛亦从隹⿰镸失說文
蛇惡毒長也蛈蟲名博雅蛈蝪螲蛈螲螲蟷亢蟲王蛈蝪也⿰从失⿰从弗⿰彳弗⿰从帶說文紱也引詩緜緜瓜⿰从失或从弗亦作⿰从帶

苵⿱艹𢧐艸名說文蕛苵也或作⿱艹𢧐荎木名刺榆也嵽⿰山窒⿱窒山峌山皃或从窒从室亦省𢧐替也突
𠫓出也易突如其來如王肅讀𦤳單至輕發皃佚方言佚惕緩也苜說文目不正也摕⿱摕木攟取也或作⿱摕木眣日側⿰目易
剃剔髮也或从弟⿱大𢧐大也盛也秩序也常也眣眰⿰目㚔目出皃一曰目不正一曰以目使人也或从至从㚔鐵利鐵也○
𡘲⿰阝失力結切𡘲𡘲頭衰態一曰多節目也或作⿱米失文十八⿰目关轉視戾曲也至也一曰諡也無其功有其意謂之罪有其功無其意謂之戾
⿰夾刂割也⿰扌关攦捩也或作攦夨左戾也盭引戾也綟綬謂之綟一曰帛莀艸染色也唳鷄鳴⿰口关嘍唳鳥聲
⿰木关木名善破血⿱艹关紫艸淚漻淚水皃隸僕也⿰彳戾⿰彳戾曳行不正乀右戾也○涅乃結切說文黑土在
水中也一曰化也一曰水名一曰縣名在上黨文二十三埕圼下也塞也或省脭腫也捏搦也⿰口呈⿰言呈博雅怒也一曰訶也
或作⿰言呈䃒羽䃒礬石也篞⿱竹圼爾雅管中者謂之篞或省⿸疒呈痛也捻敜按也或从攴苶疲皃一曰
止皃⿱艹念艸名⿱艹𡈼⿱艹涅菜名似蒜生水邊或作⿱艹涅⿱穴呈塞穴也槷木楔也⿸疒念疾也沴陵亂也莊子陰陽之
氣有沴哪咄哪胡人名硷石名○纈奚結切繫也謂繫繒染為文也文三十三襭擷說文以衣衽扱物謂之襭或从手

𢷾博雅束也 頁說文頭也从百从儿古文䭫首如此 㚉說文頭𡖊歠㚉態也 𦡒博雅𦡒膈膜也 齕博雅齧也 絜

爾雅河名即九河之一也一曰絜束知其大小也 桔閶桔柣鄭門名或作閶 閴聲也亦姓 頡說文直項也 翓翓翓飛上下皃

通作頡 鼰鼠名色蒼 䗊肸頓國名月支也 𤙸牛很皃 𪍒屑麥 𥹳秸屑米細者曰𥹳或从禾 𥌒瞜䁯目赤

𤞞山海經鳖山有獸狀如犬有鱗名曰𤞞 蘱龍蘱艸名馬蓼也 挈縣持也通作絜 紇大絲 髻竈神名 𢋞帶

莊子正𢋞係屐 乱乱毒國名身毒也 䕡鴶䕡艸名葒也 趹姓也後唐有趹跌琉 螇蟲名 𢿢變全曰𢿢通作𩅰 𩅰

邀也○𡗗顯結切廣雅𡗗肥也文八 㰼㰼㰼气皃 覩繫牛頭一曰急也 肣肸蠁也 擷衽扱也 揳束也

褉襦也 絜約束知大小也莊子絜之百圍徐邈讀一曰河名以其水勢約絜也○猰詰結切獸名文二十一 窫靜也 挈

說文縣持也 䫣䫣頡短皃 夨左夨也 㚉㚉㚉多節目一曰頭傾 契契闊勤苦也詩死生契闊 楔博雅鍥也 㓞

刻也通作鍥鐭 𡏫界也 稧禾稈也 𣽂水名出雍州南山 趣踋跳皃或从足 鍥鐭說文鎌也或从挈

𢇍器受一斗北燕謂瓶為𢇍 蛣蛣蟲名長寸餘腹中有蟹子如榆莢合體為蛣一曰蚌之小者 蛪𧍮蛪蛐蟲名似蟬而小或从蚰

大字廿九 小字七十三 集韻入聲九 四十 王恭

齧噬也○結紒吉屑切說文締也或作紒文三十六 桔說文桔梗藥名一曰直木 袺爾雅執衽謂之袺 拮說文手口共有

所作也引詩予手拮据 狤狤猚獸名 㚉說文頭傾也 螇蟲名蠪也一曰蝗屬 𥿩說文麻一耑也 潔絜㓞清也

或作絜亦省 㛍女㛍清也 𣟕𣟷𣟕槹汲水具或从絜 鍥𨮵鐭鍻博雅鎌也或从絜从挈从結 蕺艸名 鵊

鷄鳥名說文鷞鷄鳥屬或从絜 趌趌趣跳皃 魝說文楚人謂治魚人 趨說文走意 髻竈神名著赤衣 𢋞帶也 楔

木名爾雅楔荊桃施乾讀 蛣蛣蟩井中小蟲 鮚蚌也漢書鄞縣有鮚埼亭 顈頭小皃 蛪蛪蛁蟲名 𦹍艸名 計畫也

扢摩也 秸禾秀也○噎餲饐一結切說文飯窒也或作餲饐文二十三 咽聲塞也 𥽬米餌也 曀風晦

闉閴也 窫窫靜也或从穴 蠮螉蠮蠮螉蟲名土蜂也或作𧕬亦从瘞 洇𣸣水流皃或作𣸣 狪獸名四首

四角 搤持也 揳猰揳貐獸名似貙或从豸 湮塞也 𧕫𧕫蠮蟲名 壹壹鬱不得泄也 翳蔽也 蛪蛪蚼蟲名

如蟬不捨晝夜○齧倪結切說文噬也亦姓文二十三 䘽爾雅衣裗謂之䘽 闑爾雅橛謂之闑 臬槷說文射準的也或作

槷 陧隉臲摰棿倪說文危也徐巡以為隉凶也賈侍中說隉法度也班固說不安也引周書邦之阢隉或作隉臲摰棿倪

𧌑蠥也蜺蛪霓屈虹也或作蛪霓蛣蛣蟩井中小蟲嵲嶭峴𡸣嵽嵲山高或作嶭峴𡸣亦

書作覐淉水名䶬龍鬐巕屼巕山皃○穴胡決切說文土室也文六𥿮說文縷一枚也坹空深皃袕

衣開孔也鴪鳥名抭抭揘擊○血呼決切說文祭所薦牲血也从皿一象血形文二十一瞲眖眏驚視也或作眖眏

䀎瞠䀎視惡皃訧博雅怒也泬說文水从孔穴出也閴闟閴無門戶也𥨍𥁹𥤢說文空皃或从血从史䘏

𨸝陵𨸏突也或作陕桖木名赤若血𥁕說文艸也一曰地衁蒨也決吷疾皃或作吷坹博雅深也疦瘡大者疦

䬂風也𩘽瘡皃○闋苦穴切息也止也文七𨳲闋闟闋無門戶也或不省湀湀闢流川孫炎說鈌𥁃決

破也或从皿亦作決○玦璚古穴切說文玉佩也或作璚文五十七觼𧣾鐍說文環之有舌者或作𧣾鐍通作觖鈌博雅刺也

觖怨望也潏泬說文涌出也一曰水中坻人所爲爲潏一曰水名在京兆杜陵或从穴決說文行流也盧江有決水出於大別山一曰斷也

刔抉剔也或从手䀗說文孔也𣏾方言椀謂之抉襔袂博雅裪襔袖也或从史絘絵繘縷也

或从史从矞訣絕也譎𧩚說文權詐也梁益曰謬欺天下曰譎或省䀗說文消目也憰說文權詐也一說恣恑曰憰言詭曰譎

疦說文瘍也趹說文馬行皃一曰步疾也赽說文踶也一曰疾也駃說文駃騠馬父贏子也夐說文獸也似狌狌鴂

𨾬鴃鳥名說文鶪鴂也或从隹亦作鴂蚗蛥蚗蟲名蟪蛄也一曰龍屬芵蒛芵光艸名芵明也或从決叏弡所以

闓弦者詩史拾既次或从弓通作決罬罔名爾雅罿罬也郭璞讀闋騤爾雅馬回毛在背曰闋廣或从馬鴃鴂鳥名伯勞也孟子南

蠻鴃舌或作鴂僪日旁氣也𥜆不祥也砄石也狘獸走也𨸝陵阜突也䦑古作䦑醑蚌醬鱊魚名

吷鳥聲也窦穿也瞲眖目深皃或省妜美皃炔焆煙皃或作焆○抉一決切說文挑也文十三𥥛

說文深抉也鈌說文刺也窦說文穿也一曰空也妜說文鼻目間皃瞲說文目深皃焆火光決噬也周禮鋭喙決吻烓

博雅明也蚗蟲名說文蚗蛥蟟也一曰蟪蛄秦謂之蛥蚗𨸝說文𨸏窒也𩫖城缺也䦑娎皃○撆蔽四蔑切說文別

也一曰擊也拂也或作蔽亦書作撇文十八𠢴削也ノ左戾也𦁹編繩瞥䁥覕說文過目也一曰目翳一曰財見也或从

見亦作覕𦗗暫聞也嫳說文易使怒也䭯馝馝馝香也或作馝馝颰小風謂之颰𣊥𣊥𣊥日落勢

蟞蟞蜉蟲名蟻也蹩反足蹝也或書作躄𢶃拏也○彆弊𢏗𥏊必結切弓戾謂之彆或作彆𢏗𥏊文二十七

[illegible]

[illegible]

[illegible]

蹩 蒲結切說文踶也一曰跛也文三十四 [illegible]

[illegible] 香 [illegible]

[illegible] 讀 [illegible]

[illegible] 書作 [illegible] 本 [illegible] 風 [illegible]

[illegible] 書作 [illegible] ○蔑 莫結切說文勞目無精也从苜人勞則蔑然从戍文三十八 [illegible]

[illegible] 一曰 [illegible] 正 [illegible] 西 [illegible] 面 [illegible] 小 [illegible]

也 [illegible] 說文 [illegible] 相 [illegible] 一曰車 [illegible]

[illegible] 說文 [illegible] 林 [illegible]

[illegible] 說文 [illegible] 一曰 [illegible]

[illegible] 說文 [illegible] 或从 [illegible]

[illegible] 書作 [illegible] ○ [illegible] 文一 [illegible]

十七○薛 私列切說文艸也一曰國名亦姓文四十六 [illegible] 說文 [illegible]

[illegible] 說文 [illegible]

[illegible] 說文 [illegible] 或作 [illegible]

[illegible] 說文 [illegible]

[illegible] 說文 [illegible] 一曰 [illegible]

[illegible] 一曰田器 [illegible]

[illegible] 說文 [illegible] 書作 [illegible]

[illegible]

也 揳樧槷 說文韱也蜀人从殺周禮从埶一曰楔山排 摋 側擊也春秋傳摋仇牧 呭㖂 樂也或从曳 𨳝

鳥獸理毛 漬 注也 ○ 蠽蠽 子列切蟲名說文小蟬蜩也或从虫文十四 䳜 鳥也 少 說文少也 抄 摘也 𡚛

字林夭死也 𩯴鬛 說文束髮少也或从心 瀐 灑也 孅 好也 吣 鳴也 𤻤 癰也 𧊒 蜻蛚蟲名 襶 小衣 ○

䨮雪 相絕切說文凝雨說物者一曰除也隸省文八 憏 憏縷今時翦繒爲華 㨹 掃搣也 涚 拭勺以酌酒一曰清和 娀

博雅盡也 𦢁 艸名鼠姑也 歲 年也 ○ 膬脃脺 促絕切說文耎易破也或作脃脺文八 絟荃 細布也或作荃 𥗾

石破也 𣪠 斷也 蕞 艸聚皃 ○ 蕝蕞 祖悅切說文朝會束茅表位曰蕝引春秋國語置茅蕝表坐或作蕞文十三 䧑 膞也

絕𠤌𢯎 斷也或从刀从手 茁 艸生皃 撬毳 禹治水所乘形如木箕擿行泥上或作毳通作蕝 撮 行具尸子

日行險以撮 𢯰 拈也 膬 柔易破也 𦺓 艸木聚生 ○ 𢴨掇𢭆 似絕切拈也或作掇𢭆文七 鱡蜥 鮅鮘

魚名似蛸蜂生海中或从虫 𢪛 撮取皮也 𢫬 旋倒也 ○ 絕𢇍 情雪切說文斷絲也古作𢇍象不連體絕二絲文二 ○ 𤼬 還薛

切察也文二 蕝 束茅表位也 ○ 設 式列切說文施陳也从言从殳使人也文六 蔎 說文香艸也 晰 明也 䬽 陳飲

大一百三十八 小六百九十三 集韻入聲九 四十三 何七

食也 憏 裂帛也 𢷾 數著也 ○ 掣 尺列切挽也文五 瘛瘈 瘛瘲病也或作瘈瘛 𢡱 𢡱𢡱心勤 ○ 浙

浙 之列切說文江水東至會稽山陰爲浙江一曰決也或作淛文二十一 晣 說文昭晣明也引禮記晣明行事或書作晢 晢 目明也 𣍧

𦚶 博雅𦚶膌脂也或从折 折𣂀 斷也或作𣂀 𤜜 蟲蝒之子 𩋷𩏂 說文柔革也古作𩏂通作靳 𩛁 臭也

𥫽 博雅笙𥫽席也 𩋷 刀削 𧗿 方言刻也謂相難折 𪁜鷙 鳥擊也或作鷙 𣨢 夭死也 𦵨 艸斷 娎 女字 蛥

蛥蚗蟬類 ○ 舌 食列切說文在口所以言也別味也又姓文二十一 萿 艸名 𣂚𣂚折 說文斷也从斤斷艸譚長說籀从艸在仌中仌寒故折隸从手

揲抴𢴺䈗 說文閱持也或作抴𢴺䈗 𥬉 竹席 鮅 鮅鮘海魚名 鞨 治皮也或从多 剔碟 刀亦作碟 蛥

蛞 蛥蚗蟲名蟪蛄也或作蛞 怢 習也 渫 治也易井渫不食徐邈讀 𦛗 胑𦛗牛羊脂也 誓 相要以言也 逝 往也 ○ 熱 而列切說

文溫也文二 苶 疲皃 ○ 說 輸爇切說文說釋也一曰談說文三 蛻 復蛸也 稅 田賦 ○ 歠𣲉吷𠻜 姝悅

切說文歠也或作𣀯吷𠻜通作啜文十二 叕𣃝 短皃或从矢 竁 穿地也 啜 說文嘗也一曰喙也泣也 毳 細毛 娺 疾悍 𨢸 醎菹

荃 菜名 ○ 拙𥎊 朱劣切說文不巧也古作𥎊文十七 炪 說文火光也 𩑶肫 面骨博雅䪼頄𩑶也或作肫 隼

鼻也漢書高祖隆準服虔讀顡頭短𩑶頊出𩑶掇𩑶頊短皃或作𩑶掇酴鹹葅棁梁上楹謂之棁通作掇棳說文木也益州

有掇縣蝃蚍蠿蟲名蜘蛛也或从出从𢇍茁艸初生皃○蘷焫如劣切說文燒也引春秋傳蘷僖負羈或作焫文九

吶言緩也或書作㕯蜹蚋蟲名蚊也或省芮國名汭水北也春秋傳及滑汭擩㨎揾也或作㨎○𢶳山列

切木名茅蒐也文一○閲士列切城門版也文五𪘂𪙁齧也鞨𩏂𠜾治皮也或作𩏂𠜾○㕞所劣切說文拭也从又持

巾在尸下文八刷說文刮也引禮布刷巾涮水名㕞鳥治毛也鋝率量名或作率啐說文小歙也一曰嘗也選倒劣切

稱銖兩數○䈮測劣切小舂也一曰聲也文五荃艸名可染一曰菜也絟細布醛酒味變也𥴦莆室○茁側劣切艸

初生皃文五𪐴黑皃體瘠謂之𪐴𪇈鷄聲也䡼齭也蕞艸聚皃○哲悊嚞喆陟列切說

文知也或从心古从三吉亦省文八晢明也𠯬博雅塞也蜇蟄螫也或从折○屮敕列切說文艸木初生也象丨出形有枝

莖也古或以爲艸字尹彤說文十五徹𢼫𨇽說文通也古作徹或从足撤抽也勶說文發也聅說文軍法以矢貫耳也引

司馬法小罪聅中罪刖大罪剄硩說文上摘山巖空青珊瑚墮之引周禮硩蔟氏一曰石中矢也𦨣船行也鰈博雅鰈謂之觢颲颵

風皃㶿火然也爡爡燒煙皃丨上下通也瞮明也○轍𨆶軼直列切說文迹也或从足亦作軼文十二膌

明也徹𢯃通也道也古作徹撤勶去也或从力通作徹𢿱揚𢿱束木名通作徹澈水澄也硩毀也周禮硩蔟氏徐

邈讀繖衣破○劽列𠛱力蘖切說文分解也隸作列或作劽文三十八𣦶說文水流𣦶𣦶也𤋮烈說文火猛也一

曰業也光也隸作烈咧咧咧鳥聲𣳚洌說文水清也引易井洌寒泉食隸作洌冽寒也颲說文烈風也𧜡裂說文繒餘

也隸作裂挒捩也㓠剖也通作挒姴美也迾例迣說文遮也或作例迣埒膍也鴷驟也或書

作駠鴷雈鳥名爾雅鴷斲木或从隹𢙴博雅𢙴烈憂也或書作㤠鮤魚名爾雅鮤鱴刀蛚蟲名說文蜻蛚也一說蛚蟆雷師

栵栵說文絫栭也或作栵茢苅說文芀也隸作苅栵栵木名說文栭也引詩其灌其栵或作栵栗析也通作

裂衣𪘲齒分骨也厲嚴也一曰𧟙垂飾㠣㠣山高皃古有㠣山氏爄火斷也劽有力也○叕綴株劣

切說文綴聯也或从糸文二十九輟說文車具也輟說文車小缺復合者一曰止也古作轍罬罔名說文捕鳥覆車也諁

啜多言不止謂之諁或从口掇拾取也餟祭也通作醊腏說文挑取骨間肉也一曰髓謂之腏惙說文憂也引詩憂心惙惙一曰

意不定也一日疲也蹳趨跳也或从走畷說文兩陌間道也廣六尺剟說文刋也蠿蝃蟲名蛛蝥也或作蝃
𡙇䂼博雅短也或作叕𩤃馬名的盧也醊䄪酹謂之醊或从示䫎首短謂之䫎𩪘續骨也涰泣也
通作涰𦏺羊躍而死錣鈉策耑有鐵或作鈉○𤿭椿劣切皮剝也文三爣竈中煙𤺌傷也○劣
龍輟切說文弱也通作㤬文十八㤬少也憂也寽說文撮也脟說文脅肉也一曰腸間脂也一曰膫也𨂀蹶𨂀跳跟皃鋝
鏲說文十銖二十五分之十三也引周禮重三鋝北方以二十兩為鋝東萊以鍰為權重百二十斤亦曰鋝古从率埒說文卑垣也一曰丘名
浖博雅浖厓也一曰山上有水曰浖通作埒𤙖說文牛白脊也𣮢馬毛雜斑謂之𣮢哷鷄鳴也蛶蟲名說文商何
也𣏰說文木也一曰舟櫓𤱈耕田起土也膞界也太玄福則有膞陸績讀捋采也耒耒禾麥知多少也○
吶女劣切聲不出謂之唔吶或書作㕯文二笍羊箠耑有鐵○抴拽羊列切捈也或作拽文七曳西戎有河名曳陘
𥮜校縫革也揲數也褻遠也未也聅以矢貫耳司馬法曰小罪聅○娎許列切說文娎婡也文二𤆬火氣○
孑吉列切說文無右臂也一曰單也健也文六秄禾把𦀚絲束釨方言戟楚謂之釨揲數也夅相遮害一曰

佺

亭名在南陽○悅說兊欲雪切喜也樂也服也或作說兊文十四娧姚娧好皃閱說文具數於門中也一曰察也出門者察
而數之䳇說文鳥也蛻方言燕趙謂蠭蝓小者曰蚴蛻一曰蟬蛇解皮也䓘博雅小也䕶菜名葉似竹生水旁脫蟲新
出皮悅好皃司馬彪說𥇖目玩也銳楚宋謂梚曰銚銳毤毛落也帨佩巾○𥄎翾劣切說文舉目使人也文十二
烕說文滅也从火戌火死於戌陽氣至戌而盡引詩赫赫宗周褒姒烕之𡞞盡也颰颰小風或从叏𦐏決小鳥飛皃或作決
炔㶿炔火始然也怴博雅怒也一曰愚皃𥇍說文視高皃吷小聲一曰歡謂之吷䋘捩也○缺𦈫傾雪切說
文器破也一曰少也或作𦈫文八闋說文事已閉門也葜艸名爾雅茥葜葐𦍷博雅病也䍀說文缺也古者城闕其南方謂之䍀
𧓯蚗蛚蚗蜜師或省○妜婧悅切說文眉目間皃一曰怒也憂也文七抉刔說文挑也或从刀焆炔說文焆煙皃
或从䟭䟭旻目深皃哨怒也○𧺝丘傑切說文去也一曰武壯皃文十四揭担拮舉也或作担拮愒𢡚
息也或作憩藒蘛藒車香艸或从揭𡒔界也蠂土蠂蟲名似蝗而小偈博雅疾也轕車疾皃通作偈䫘
䫘也詰喬詰意不平也○揭蹇列切舉也文四紇覲也扢拔也訐告發也○傑巨列切說文傲也一曰俊

傑文二十四 偈武皃 杰䰻杰渠四公子名 桀垡說文磔也从舛在木上也夏之末帝號古作垡 榤爾雅雞棲於弋爲榤

㮣概楬杙也或省亦作楬 嵥嶫嵥高皃 滐水激回旋也 渴水盡也 竭說文負舉也一曰盡也

擖揭搩擔也或省亦从桀 碣礍說文特立之石東海有碣石山古作礍 藒艸名也 ⿰禾曷穅 ⿰禾桀禾出皃

藒藒車香艸 厥凥也 ⿱穴桀覆也 ○孽魚列切說文庶子也文三十六 蠥𡣥櫱說文衣服謌謠

艸木之怪謂之祅禽獸蟲蝗之怪謂之蠥或作蠥𡣥櫱 ⿰鳥薛鳥名說文⿰契鳥⿰鳥薛也 ⿰氵獻讞⿰口獻⿰口幸說文議罪也或从言从口亦作⿰口幸 糱

說文牙米也 ⿱薛麥⿺麥薛牙麥也或作⿺麥薛 蘖櫱⿰木獻木餘也又姓或作櫱⿰木獻 闑臬槷說文門梱也或作臬

槷 ⿰車獻高皃 ⿱山兒巘嵲說文危高也或作⿱山兒巘嵲水華書作峴 ⿰金獻馬勒旁鐵 ⿱髟龍龍鬐脊上鬐龍也 隉

𢴛槷臲杌隉不安或作𢴛槷臲 ⿰臬兀爾雅康瓠謂之⿰臬兀 ⿰臬出博雅⿰臬出危也 堨壁間隙也徐鍇說 屵高皃

埶蒔也 ⿱埶貝不動皃 ○蹶紀劣切僵也跳也文十一 叕速也 ⿺走叕⿰足叕小跳也或从足 罬爾雅罬謂之罦 ⿸厂叕

抵觸也 ⿰叕豕豕發土也 ⿰羊叕羊病謂之⿰羊叕 撅撥也 乚鉤也 ⿰屈刂曲刀 ○⿰叕豕巨劣切豕發土也文一 ○噦乙劣

切逆氣也文三 ⿰彳衞防守也 ⿱衞心寤言 ○鼈蟞鱉必列切說文甲介蟲也或从虫从魚文十六 鷩說文赤雉

也引周禮孤服鷩冕 ⿰敝鳥山海經墓山有鳥名⿰敝鳥⿰敝鳥一曰⿰敝鳥⿰敝鳥別名 ⿱撇糸說文扁緒也一說弩罥銅帶一說御左回曰⿱撇糸 ⿱艹鱉⿱艹鼈艸名爾雅

⿱艹敝⿱艹鱉或从⿱艹鼈 柭梧也 ⿱敝邑縣名在牂牁 ⿱敝土大阜在左馮翊池陽縣 憋惡也一曰性急 瞥目翳也 蔽蔆 ⿸疒敝

腫𤺌也 扒無齒杷李舟讀 ○焆於列切煙气 ○咱怒气 ○紇九傑切覬也急也文二 扢拔引也 ○潎匹滅

切潎洌流輕疾皃文六 ⿱敝金說文河内謂臿頭金或書作鐅 ⿸疒敝枯病 撆說文別也一曰擊 憋博雅惡也一曰性急 ⿱敝衣衣皃 ○

敝便滅切敗也文五 ⿱敝女輕也 ⿰足連古田器即䟫也 ⿱敝死踣也或作獘 ○滅莫列切說文盡也古作㓕文六

搣說文批也 烕火滅也 𦃙弱也漢書緜力薄材孟康說 絤細也 ○䇷筆別切分契也文十一 別異也 八

說文分也从重八八別也引孝經說故上下有別 諭辯言析理也或作辯 扒捌剖分也或作捌 莂移蒔也 拔

晉俗謂平地除坌具曰拔 筆山東謂筆 ○別皮列切說文分解也文四 捌剖分也 㽡大㽡山名通作別 䛲

言析理也 ○札側列切革緣也一曰夭死也文一 ○緆乙列切紗緆不成絢而急一曰小意文二 謁白也李舟說

乾隆御覽之寶
天祿琳琅

集韻卷之九

集韻卷之九

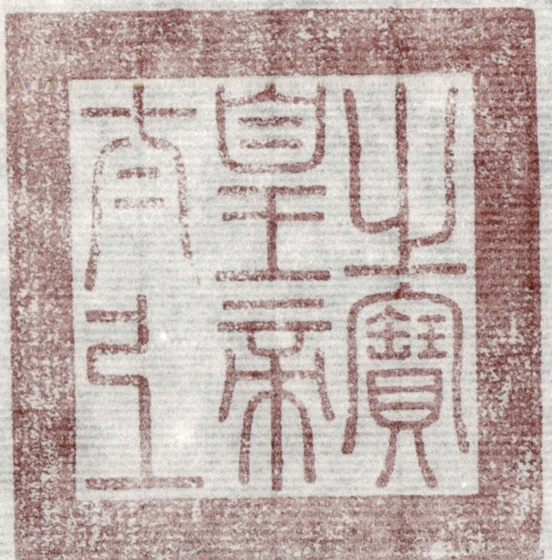